ちくま
Q
ブックス

震災アーカイブを訪ねる

3・11
現在進行形の歴史って?

大内悟史

JN225839

筑摩書房

本文イラスト
米村知倫／鈴木千佳子／
図版作成協力
アトリエ・プラン

はじめに

この本は、おもに2011年に起きた東日本大震災《だいしんさい》に関心がある中学生や高校生などの若い人たちに向けた一冊です。

たまたまこの本を手にとり、このページをひらいているあなたは、あのとき何歳《なんさい》でしたか。もう生まれていましたか。当時のことを覚えていますか。親や先生などの大人から、東日本大震災の話を聞いたことがあるでしょうか。

たまに見聞きする「3・11」とか「ヒガシニホンダイシンサイ」って何だろう。漢字だらけのこの言葉を知ってはいても、当時何が起きたのか、いま何が起きているのか、よく知らないと感じる人も多いのではないでしょうか。

大丈夫《だいじょうぶ》です。この本を書いている大人のぼくも、東日本大震災についてよく知らないこと、まだ分からないことがたくさんあります。そして、あれこれ調べたり、難しい問題に悩《なや》んだりしながら記事を書く新聞記者の仕事をしています。

みなさんよりも少しだけ先回りしてこの本を書いているだけで、確実に合格点をもらえるような答えは持ち合わせていません。

＊

では、なぜそんなぼくがこの本を10代のみなさんに届けたいと思ったのか。

一つには、あなたとほぼ同世代にあたる中高生の娘《むすめ》と息子《むすこ》3人の父親だからです。3人は2000年代後半の生まれ。かろうじて震災の記憶《きおく》があるかどうかという世代で、首都圏《しゅとけん》の出身です。次の世代に体験を伝えてほしいと思い、この数年、折に触《ふ》れて岩手や宮城、福島の被災地《ひさいち》を家族でドライブしてきました。

なぜ、わざわざそんなドライブを繰《く》り返しているのか。東北の被災地がぼくの故郷だからです。子どもたちにとっては親の出身地にあたります。

ぼくが生まれ育ったのは福島県いわき市の農村部。ぼくの両親が住むいわきの実家も東日本大震災の地震と東京電力福島第一原子力発電所の事故に見舞《みま》われました。小さいころから同居していた祖母は、2011年秋に首都圏の避難先《ひなんさき》で亡くなり、後に「震災関連死」の認定を受けました。

こうした家族の体験も、ひょっとすると社会全体の問題とつながっているのでは——。そう感じたぼくは、震災から数年後の新聞社内で「記者の仕事がしたい」と手を挙げました。運よく希望が通り、別の仕事から記者へと「社内転職」しました。

といっても、東日本大震災の問題ばかり追いかけているわけではありません。地震・津波《つなみ》、原発事故の被害から見えてきた問題はさまざまな領域にまたがります。

地震や津波の被害を減らす防災にどう取り組むか。少子高齢化《しょうしこうれいか》や過疎化《かそか》が進む被災地をどう復興するか。防災や復興の進め方を、誰《だれ》がどう決めるのか。災害や放射能のリスクをどう見積もればいいか。豊かな暮らしに必要なエネルギー源を今後どう確保していくか。そもそも、あの出来事をどう語り継《つ》ぎ、記録して後世に歴史として伝えていけばいいのか――。

東日本大震災から学べるのは、東日本の被災地に限った問題ではありません。地震や津波、原発事故の問題だけでもありません。大人や専門家でさえ簡単に答えが出ない難問がいくつもあります。やがて大人になるあなたにも難しい問題を一緒《いっしょ》に考えてほしい。そうした取り組みの第一歩は、中学や高校の理科や社会科、総合学習や探究学習のよい手がかりにもなるのではないか、と期待しています。

＊

いま、東日本大震災の被災地には、「震災アーカイブ施設《しせつ》」や「震災遺構」と呼ばれる場所が数多く生まれています。数え方にもよりますが、東北地方の太平洋側を中心に１００カ所を超《こ》えるでしょう。ネット上にも震災当時のようすを写真や動画で伝えるデジタルアーカイブが多数あります。

この本では、岩手・宮城・福島の３県内にあるさまざまな施設、震災のようすを伝える遺構などを紹介《しょうかい》します。一般《いっぱん》向けの施設を中心に紹介するのは、大人や中高生の誰もが東日本大震災を知り、問題を考えることができる気軽な「入り口」だと考えるからです。あわせて、被災地に暮らす当事者や関係者に聞いたインタビューのページも参考にしながら読み進めて、考えを深めてください。

この本に「唯一《ゆいいつ》の正解」は載《の》っていません。あなたが東日本大震災について学び、自分なりに東日本大震災をめぐる難問を考え、答えを模索《もさく》する手がかりになれば本望です。そして、「百聞は一見にしかず」。周囲の大人と相談しながら機会を見つけて、ぜひ現地に足を運んでほしいと願っています。

では、この本の「旅」を始めましょう。

＊この本に掲載《けいさい》しているデータは２０２４年11月ごろの情報を盛り込《こ》むように努めました。現地を訪れる際は、最新の情報を事前に確認してください。

震災アーカイブを訪ねる
——3・11　現在進行形の歴史って？

目次

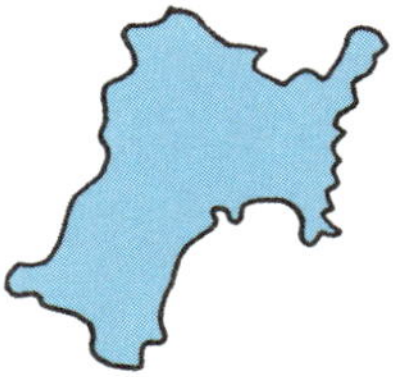

宮城編 063

岩手編 087

震災
アーカイブ
施設を
訪れる前に

「旅」を始める前に

1 東日本大震災《だいしんさい》とは？

まだ寒い春の金曜の昼下がり。２０１１年3月11日に起きた東日本大震災（3・11、さんてんいちいち）は、深刻な被害《ひがい》を東日本各地にもたらしました。

震源地は宮城県・牡鹿《おしか》半島の東南東約１３０キロの三陸沖で、震源の深さは約24キロ。被災したのは主に福島県や宮城県、岩手県など東北地方の太平洋岸です。マグニチュード（M）９・０という巨大《きょだい》地震の揺《ゆ》れや津波《つなみ》は東日本一帯に届き、３県に加えて青森県や茨城県、千葉県、東京都などにも被害が及《およ》びました。

最大40メートルを超《こ》えるとの見方もある津波の被害は深刻でした。死者１万５９００人、行方《ゆくえ》不明者２５００人超。死因は9割が津波による溺死《できし》だと推定されます。避難先《ひなんさき》などでの災害関連死を含《ふく》めると、死者は計2万2千人を超えます（２０２４年3月現在）。

地震と津波だけでも人類史上に残る大災害です。一方、地震と津波により引き起こされた東京電力福島第一原発の事故も、史上類を見ない深刻な出来事でした。３・11は、最悪の地震・津波と最悪の原発事故が同時に起きた「複合災害」でした。

東日本大震災の震度、被害の概要《がいよう》

東日本大震災の震度

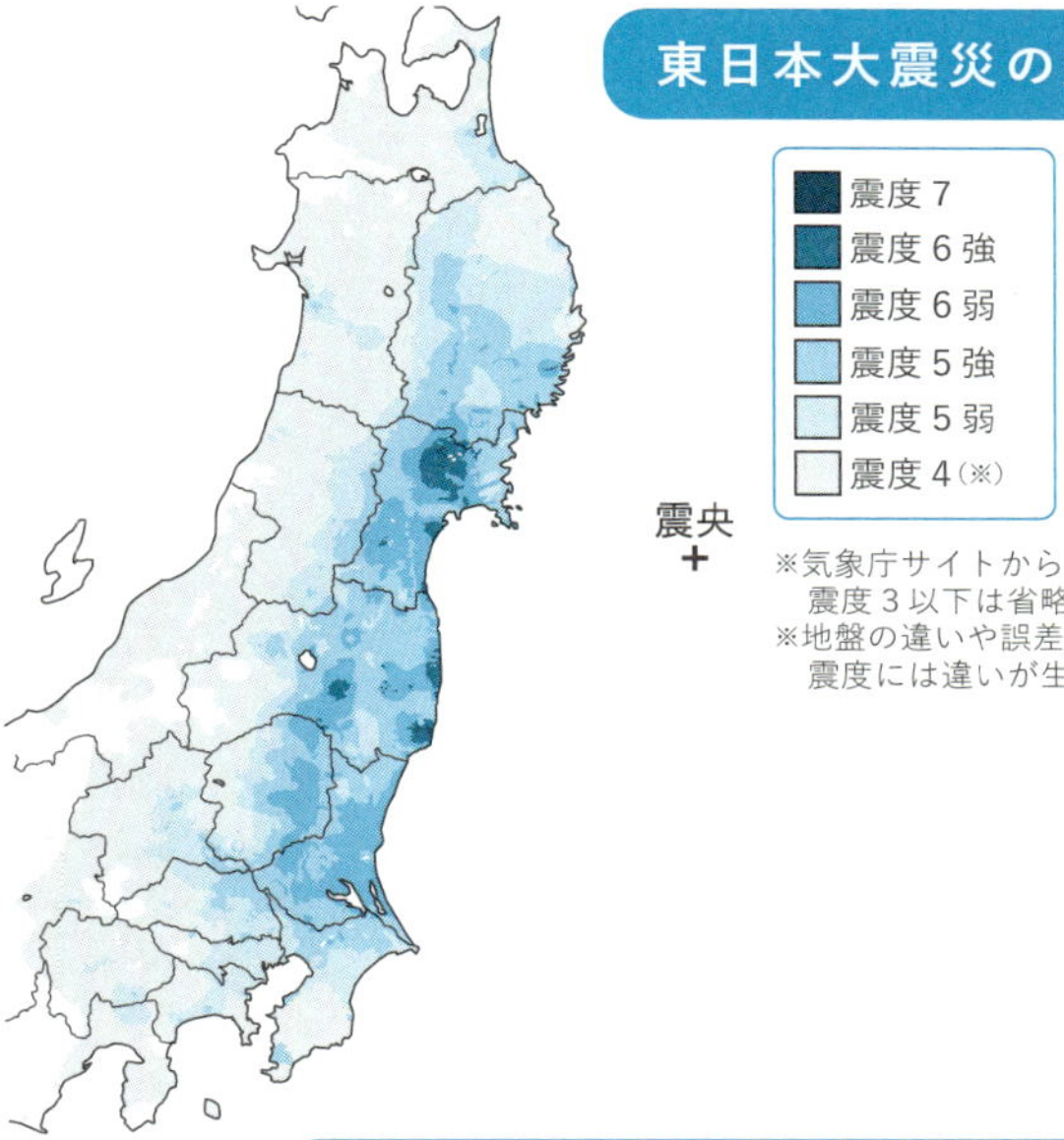

※気象庁サイトから。
震度3以下は省略。
※地盤の違いや誤差などにより実際の震度には違いが生じることがある。

東日本大震災の被害

		全国	岩手県	宮城県	福島県
死者		1万5900人	4675人	9544人	1614人
行方不明者		2520人	1107人	1213人	196人
負傷者		6167人	214人	4145人	183人
建物被害	全壊	12万2000棟	1万9508棟	8万3005棟	1万5435棟
	半壊	28万3117棟	6571棟	15万5130棟	8万2783棟
避難者		2万9328人	うち県内 304人	703人	5993人
			うち県外 545人	889人	2万279人

※警察庁、復興庁調べ(2024年3月)

「旅」を始める前に

2

3・11はどれほど深刻だったのか？

日本列島は毎年、地震や台風、集中豪雨《ごうう》などの多くの自然災害に見舞われています。最近の地震に限っても、まず2024年の正月に能登半島地震がありました。北海道胆《い》振《ぶり》東部地震（18年）、熊本地震（16年）、新潟県中越《ちゅうえつ》地震（04年）、阪神《はんしん》・淡路《あわじ》大震災（95年）なども思い起こされます。いずれも最大震度7の揺《ゆ》れを観測しました。

東日本大震災（3・11）は、地震のエネルギーの大きさも、史上最大級でした。1900年以降に世界で起きたマグニチュード（M）9級の地震は、M9・5のチリ地震（1960年）、M9・2のアラスカ地震（64年）、M9・1のスマトラ島沖地震（2004年）、次いでM9・0のカムチャツカ地震（52年）と3・11だけです。

3・11は史上最悪の原発事故も引き起こしました。国際的な評価尺度で最も深刻な「レベル7」の事故は、旧ソ連（現ウクライナ）のチェルノブイリ原発事故（86年）だけ。東京電力福島第一原発の事故もレベル7相当と見られます。米国のスリーマイル島原発事故（79年）はレベル5。茨城県東海村のJCO臨界事故（99年）はレベル4です。

過去に起きた巨大地震／原発事故のレベル

過去に起きた世界と日本の巨大地震

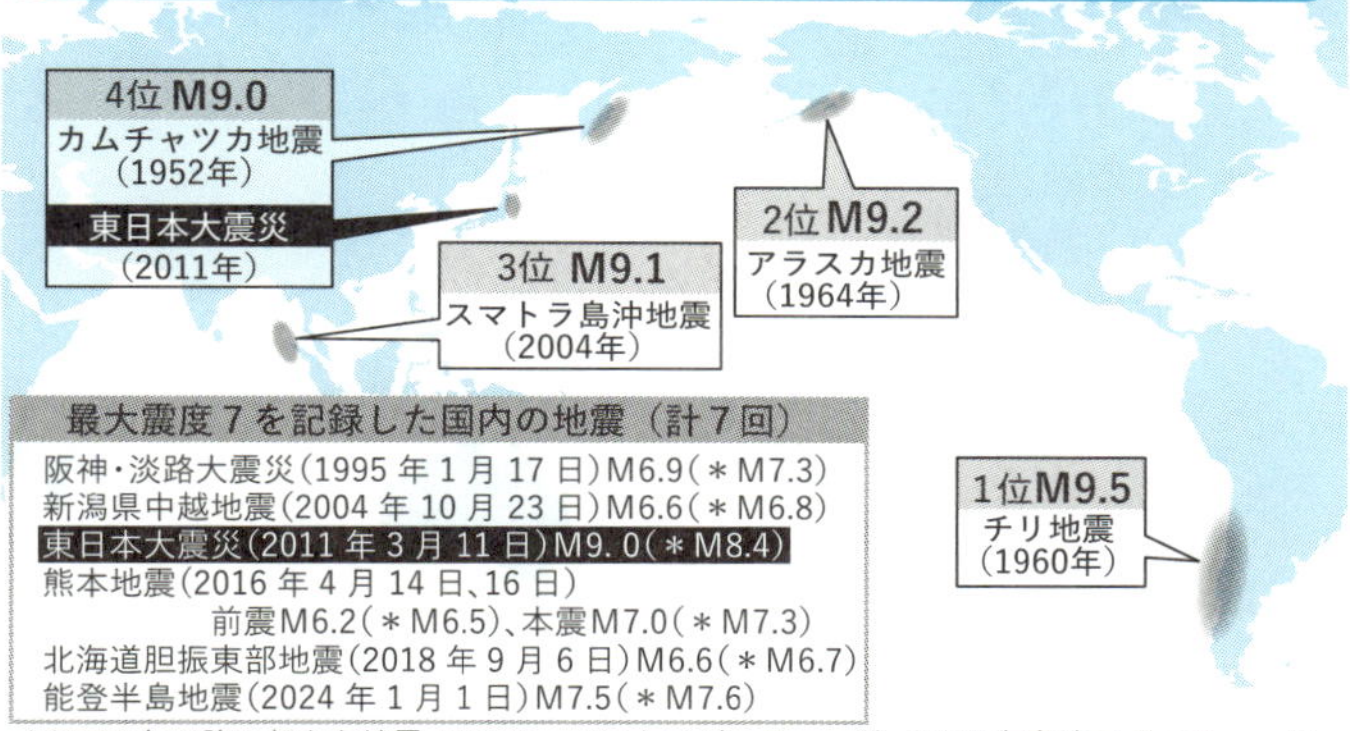

最大震度7を記録した国内の地震（計7回）

阪神・淡路大震災(1995年1月17日)M6.9(＊M7.3)
新潟県中越地震(2004年10月23日)M6.6(＊M6.8)
東日本大震災(2011年3月11日)M9.0(＊M8.4)
熊本地震(2016年4月14日、16日)
前震M6.2(＊M6.5)、本震M7.0(＊M7.3)
北海道胆振東部地震(2018年9月6日)M6.6(＊M6.7)
能登半島地震(2024年1月1日)M7.5(＊M7.6)

※1900年以降に起きた地震、Mはモーメントマグニチュード。＊印は気象庁マグニチュード。

国際原子力事象評価尺度

異常事象・事故の深刻度（レベル）

事故

- ❼ **深刻な事故** 広範囲におよぶ健康と環境への影響を伴う放射性物質の深刻な放出（計画的な広域封鎖が必要）
  例：ソ連（現ウクライナ）・チェルノブイリ原発事故（1986年）
  日本・東京電力福島第一原発事故（2011年）
  大気への放射性物質の放出量（推定）
  チェルノブイリ：520京（520万兆）ベクレル
  福島第一：77京（77万兆）ベクレル
- ❻ **重大な事故** 計画的な封鎖が必要となる相当量の放射性物質の放出
- ❺ **広範囲への影響を伴う事故** 計画的な封鎖が必要な限られた量の放射性物質の放出
  例：米国・スリーマイル島原発事故（1979年）など
- ❹ **局地的な影響を伴う事故** 地域の食品制限以外には計画的封鎖などを必要としない軽微な放射性物質の放出
  例：日本・東海村JCO臨界事故（1999年）など

異常事象

- ❸ **重大な異常事象** 放射線作業従事者が年間許容量の10倍を被曝など
- ❷ **異常事象** 10ミリシーベルトを超える公衆の被曝、放射線作業従事者の被曝限度（1年間）超過
- ❶ **逸脱** 年間許容量の超過に伴う被曝

- ⓿ **尺度未満** 安全上の問題がない

※環境省

「旅」を始める前に

3

なぜ福島から「旅」を始めるのか？

震災に触《ふ》れる旅を、なぜ福島県内の震災アーカイブ施設《しせつ》から始めるのか。それは、地震・津波に加えて原発事故の影響《えいきょう》を受けた「複合災害」を象徴《しょうちょう》する場所だからです。

福島県内にある東京電力福島第一原発は震災当時、地震と津波による大きな被害を受けました。3月11日以降、炉《ろ》心溶融《しんようゆう》（メルトダウン）や水素《すいそ》爆発《ばくはつ》などにより1〜4号機から大量の放射能が漏《も》れる事故を引き起こしました。

地震や津波の被害が大きい宮城・岩手両県なども含めた全国の避難者は最大約47万人に達しました。現在は避難者の大半を福島県民が占《し》め、国の避難指示のもとで2万9千人超が避難生活を送っています（2024年3月現在）。自主避難を続ける人も多数います。

おもに地震・津波の被害を受けた宮城や岩手の人などからすると、福島の原発事故のことばかりが注目され、自分たちの被害が軽視されていると思うかもしれません。そうした見方にも一理はあります。ただ、後述するように宮城・岩手と福島の災害には共通点もあります。現在進行形の災害も含め、この本では全体像をつかみたいと考えています。

全国と福島県の避難者数

全国の避難者数の推移

福島県の避難者数の推移

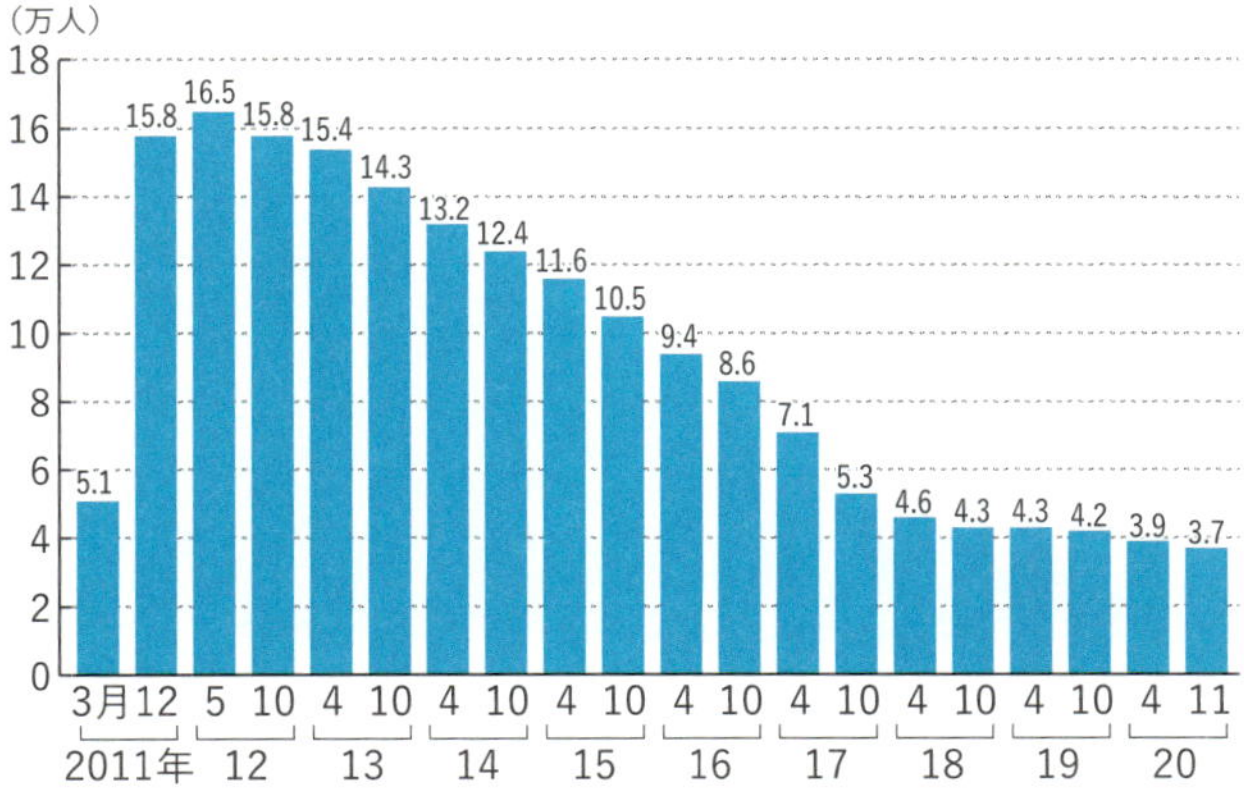

※復興庁、緊急災害対策本部資料から。全国の避難者数は年平均。
発災直後（2011年３月14日）の避難者数は約47万人。
青森県、岩手県、宮城県、福島県、茨城県、栃木県の避難状況の合計。

「旅」を始める前に

4

誰《だれ》でも被災地を訪れていいのか？

10年以上前の出来事とはいえ、地震・津波や原発事故で被害を受けた地域に足を運んでもいいのか。地元の人はどう思うか。危険はないか。心配に思う人もいると思います。きわめて微量《びりょう》とはいえ、福島県内の避難区域は「追加被曝《ひばく》」のリスクがゼロとは言えません。被災地には今なお被害やその記憶《きおく》に苦しみ、そっとしておいてほしいと思う人がいる一方で、被災地の現状を知ってほしいと思う人もいます。さまざまな思いの人がいる中で、それでも可能な限り配慮《はいりょ》しながら足を運ぶ意義は大きい、とぼくは考えます。

- 被災地を訪れるさいは、親や先生などの大人とよく相談し、慎重《しんちょう》に行動しましょう。
- 人命が多数失われた土地です。死者をいたむ気持ちをもち、静かに訪れましょう。
- 住民が暮らす場所です。立ち入ってよいか、撮影《さつえい》してよいかなどに配慮しましょう。
- 住民も被災地以外の人も、さまざまな思いや意見があります。違《ちが》いを尊重しましょう。

以上の4点を心がけたうえで現地を訪れたいと思います。知らずに済ませる自由はある、でも21世紀の大問題を知らずに生きるのはつまらない、というのがぼくの意見です。

福島県内の被災地の風景

「旅」を始める前に

5

福島への「旅」のリスクをどう考えるか？

あなた自身や親、先生たちの中には、今回の「旅」のリスクを気にする人もいると思います。特に、福島の被災地を訪れることで生じるリスクをどう考えればいいでしょうか。

わたしたちは既《すで》に日々の暮らしの中で、宇宙からやってくる自然の放射線により、今この瞬間《しゅんかん》も少しずつ被曝しています。医師の指示でレントゲンを撮る、海外旅行で飛行機に長時間乗るといった「追加被曝」の機会もあります。

道を歩けば交通事故のリスクがある。日光を浴びれば紫《し》外線《がいせん》のリスクがある。それぞれのリスクはゼロではないけれど、多くの人がリスクを許容しています。

原発事故後、おもに福島県内の各地で追加被曝のリスクを下げる除染《じょせん》作業が進められました。公的施設や主要道路などの空間線量は低く、追加被曝のリスクは首都《しゅと》圏《けん》などとあまり変わらないとみてよさそうです。福島の被災地を訪れる「旅」で得られる学びが大きければ現地を訪れてもいい。ぼくはそう考えます。ただ、山林や手入れがされていない土地などは被曝リスクが高い場合があり、むやみに立ち入らないようにしましょう。

日常生活と放射線被曝

日常生活における自然放射線による年間被曝線量

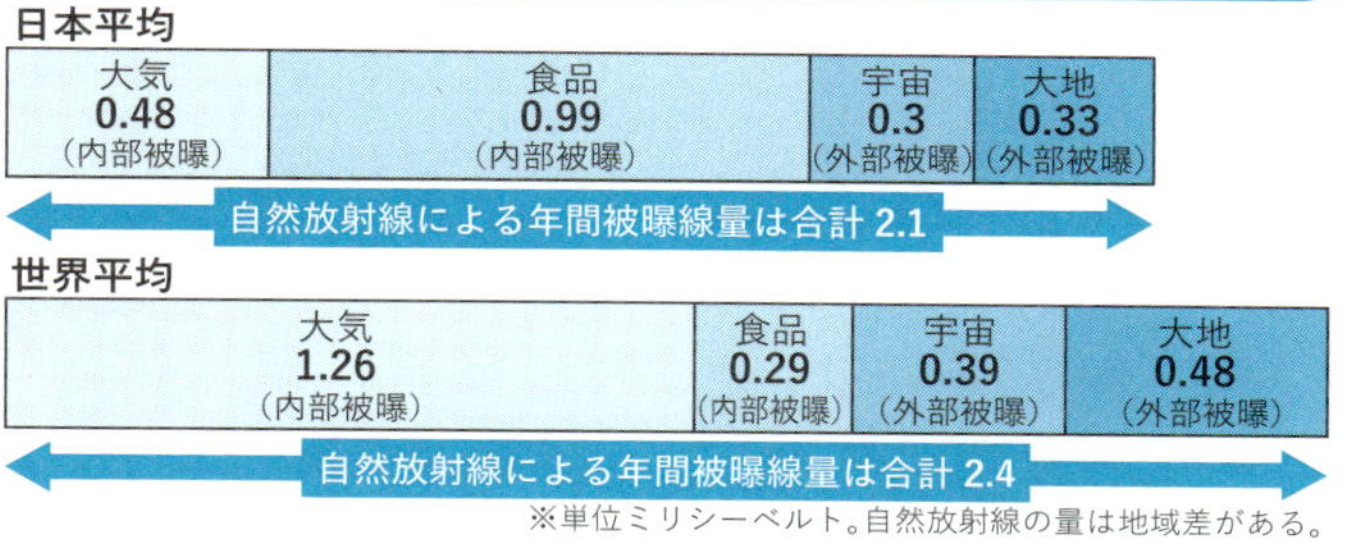

※単位ミリシーベルト。自然放射線の量は地域差がある。

人工放射線と自然放射線

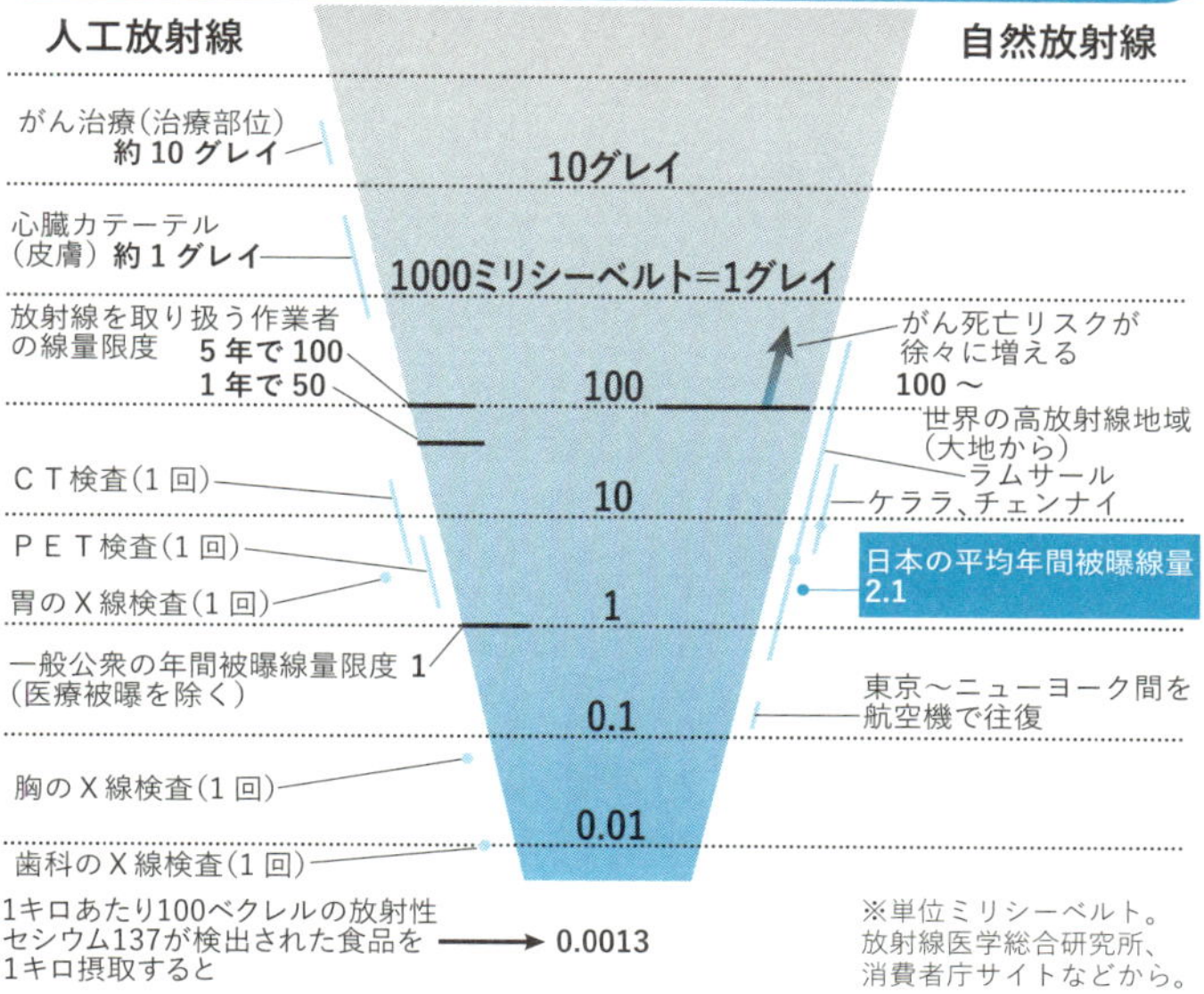

※単位ミリシーベルト。
放射線医学総合研究所、
消費者庁サイトなどから。

「旅」を始める前に

6

福島への「旅」は既に始まっている？

あなたの住む家に「コンセント」はありますか。電源として使う「二つ穴」のことです。コンセントの先は電線につながっており、その先は電力会社の送電線、発電所に行き着きます。西日本も含め電力会社のエリア同士は互《たが》いの需要《じゅよう》に応じて電力を融通《ゆうずう》する送電網《そうでんもう》でつながっています。いま福島県内の原発は廃炉《はいろ》が決まり稼働《かどう》していませんが、東京電力福島第一原発事故の前から、あなたの暮らしは福島の被災地とつながっていたのです。

鉄道や高速道路で被災地に向かうさいは、送電線の鉄塔《てっとう》を探してみてください。首都圏からＪＲ常磐線《じょうばんせん》や常磐自動車道を北上すれば、茨城・福島県内を通る際に送電線の鉄塔が何度か目に入ります。発電所とあなたの暮らしを結ぶ「線」です。

これから紹介《しょうかい》する震災アーカイブ施設や震災遺構だけが学びの場ではありません。移動中に目にする人家や田畑、樹木や地形など、車窓から見える風景にも注意を払《はら》いましょう。今、あなたが立っている場所で、震災当時にどんな出来事があったのか。今となっては目に見えない震災前の人々の暮らしや歴史を想像しましょう。

コンセントの向こう側を想像してみよう

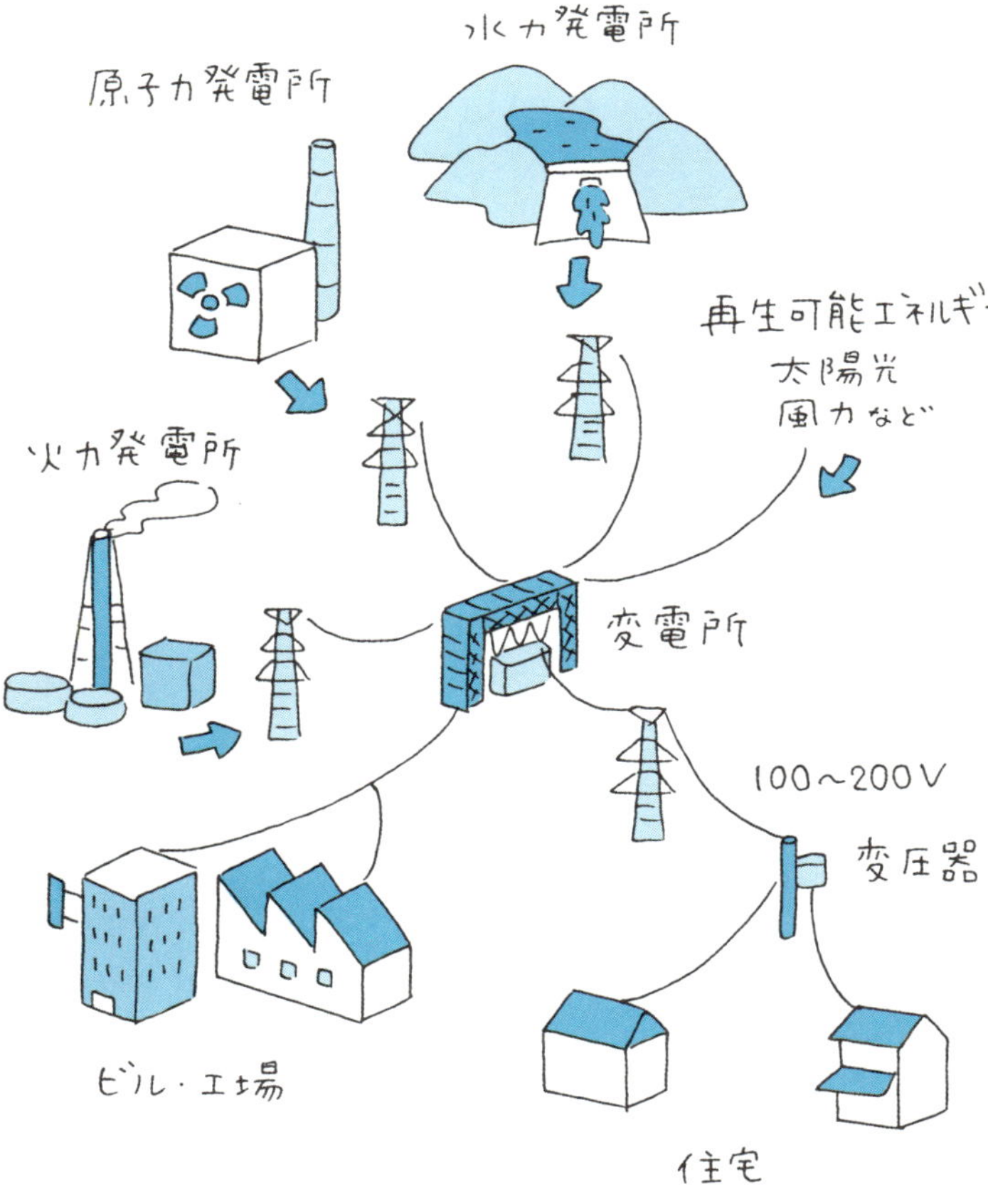

「旅」を始める前に

7

「観光旅行」か「学習旅行」か？

福島であれ宮城・岩手であれ、被災地を訪れる「旅」に出ようと決意するときに気になる点の一つが、この「旅」は観光旅行か、それとも学習旅行か、という点でしょう。

被災地に遊びに行くのか、それとも学びに行くのか——。

難しく考えなくてもいいのではというのが、ぼくの当面の答えです。たとえ学習旅行だとしても、おいしいご飯は食べたい。たとえ観光旅行だとしても、楽しさだけが目的なら被災地以外でいい。学ぶだけではつらい。でも、楽しいだけでは充実《じゅうじつ》した旅にならない。

震災をめぐる問題を正面から考えている福島県いわき市の地域活動家、小松理虔《こまつりけん》さんは「真面目《まじめ》さから距離《きょり》を置いて、肩《かた》の力を抜《ぬ》いて不真面目に取り組む」ことの意義を説いています。真面目な学習旅行も大事ですが、真面目に学ぶだけでは学習効率が上がらない気がします。被災地をめぐる旅であっても、楽しい、面白いといったワクワク感があっていい。もっと言えば、答えが出ない難しい社会問題と向き合うときに「やる気」を出すには、楽しい、面白いという感覚も大事なのではないか。ぼくはそう考えています。

福島・宮城・岩手の名物も楽しもう

カッパ
宮沢賢治
わんこそば
南部鉄器
岩手
ワカメ
カキ
前沢牛
ウニ
牛タン
カツオ
宮城
伊達政宗
サンマ
笹かまぼこ
こけし
福島
七夕まつり

福島編

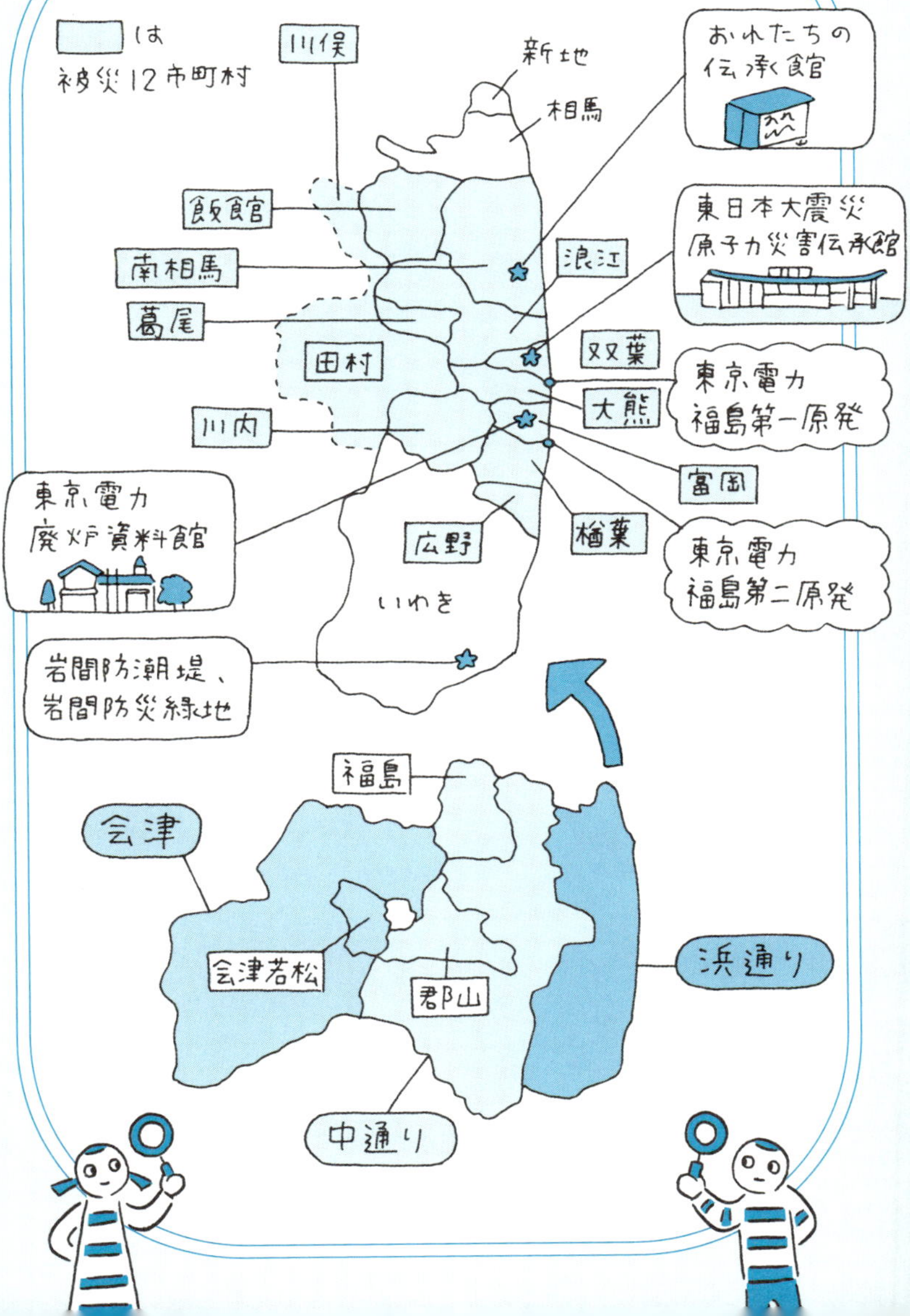

は
被災12市町村
川俣
新地
相馬
飯館
南相馬
浪江
葛尾
双葉
田村
大熊
川内
富岡
楢葉
広野
いわき
おれたちの伝承館
東日本大震災原子力災害伝承館
東京電力福島第一原発
東京電力福島第二原発
東京電力廃炉資料館
岩間防潮堤、岩間防災緑地
福島
会津
会津若松
郡山
浜通り
中通り

福島県は東北地方の南部に位置し、東京を中心とする関東地方に接しています。人口約１７４万人（２０２４年11月推計）。ピーク時は約２１４万人（１９９８年）。東日本大震災《だいしんさい》で県外に避難《ひなん》する住民が多数いた２０１１年に、２００万人の大台を割り込《こ》みました。

県内は東から「浜通《はまどお》り地方」「中通《なかどお》り地方」「会津《あいづ》地方」の三つに分かれ、東日本大震災では沿岸部の浜通り地方を中心に地震・津波《つなみ》と原発事故の被害《ひがい》を受けました。

ＪＲ常磐線《じょうばんせん》や常磐自動車道、国道６号沿いの浜通り地方は、南からぼくの故郷のいわき市、広野町、楢葉町《ならはまち》、富岡町、事故を起こした東京電力福島第一原発がある大熊町と双葉町《ふたばまち》、そして浪江町《なみえまち》、南相馬市《みなみそうまし》、相馬市、新地町《しんちまち》。内陸に川内村、葛尾村《かつらおむら》、飯舘村《いいたてむら》の計３市７町３村です。

中通り地方にも被害は及《およ》び、例えば小峰城《こみねじょう》（白河市）の石垣《いしがき》が崩壊《ほうかい》しました。伊達市《だてし》などの一部にも放射性物質による汚染《おせん》が広がり、住民の一部が避難しました。会津地方も含《ふく》め、県内全域のコメやモモなどの農産物が出荷制限や価格低迷などの被害を受けました。避難者を多数受け入れたのも県内の各自治体です。

この章では、福島県内の代表的な震災アーカイブ施設などを四つ、紹介《しょうかい》します。

東日本大震災・原子力災害伝承館

◆【住所】福島県双葉町中野字高田39◆【電話】0240-23-4402◆【開館時間】午前9時～午後5時（最終入館は午後4時30分）◆【休館日】火曜日（火曜が休日の場合は翌平日）、年末年始◆【入館料】大人600円、小中高300円、未就学児無料

被災地には各地に「伝承館」が点在しており、この施設を指す場合は「双葉町の伝承館」と呼べば分かりやすいでしょう。福島・宮城・岩手の3県に1館ずつある県立の震災伝承施設の一つで、2020年に開館しました。館名の「原子力災害」とは、原発事故により生じた住民の長期避難などのさまざまな災害の総称《そうしょう》です。福島県内でまず1カ所だけ訪れるなら、この伝承館をおすすめします。施設周辺は復興の最前線です。

入館した見学者は、まず短い映像を目にします。高度経済成長により首都圏の電力需要《じゅよう》が高まり、福島県内に原子力発電所ができた歴史的経緯《けいい》と、巨大《きょだい》地震から原発事故に至る大まかな流れを振《ふ》り返る映像（ナレーションは同県出身の俳優、故・西田《にしだ》敏行《としゆき》さん）です。

次に、らせん状のスロープをのぼりながら、原発の建設から原発事故に至る大きな流れをビジュアル化した年表を目にします。東京電力福島第一原発1号機の建設が始まったのは1967（昭和42）年のこと。1号機は71（昭和46）年、ぼくが生まれる2年前に発電を開始しました。50年余り前のことです。

2階の展示は事故以前、事故当時、事故以降という時系列で何が起きたかをたどります。展示で注目したいポイントは三つ。一つは、町内の路上に掲《かか》げられた「原子力　明るい未来のエネルギー」という看板です。事故以前は「原子力は人間の暮らしを豊かにする」と多くの人々が信じていたのだと思うと、胸が痛みます。原子力は、原発事故や広島・長崎の原爆《げんばく》投下のような大きな被害をもたらす一方で、エネルギー源として利用すれば多くの人々に電気を提供し、豊かな生活を可能にします。使うべきか、使わずに済ませるべきか。看板のレプリカ（実物大模型）が施設屋外に展示されているので、そのレプリカを目にしながら原子力利用の「光と影《かげ》」について考えてみましょう。

もう一つは、事故当時の経験を語る当事者の声に耳を傾《かたむ》けることができる「語り部」コ

「原子力　明るい未来のエネルギー」の看板レプリカ

ーナーです。福島県内の各市町村で震災と原発事故に直面した住民や避難者が、当時の記憶《きおく》やその後の暮らしなどを見学者に対して語りかける場です。準備を整えるひまなどない避難所への長距離《ちょうきょり》移動。避難所を何カ所も転々としながらの慣れない生活。住み慣れた自宅への帰還が見込《みこ》めず、先の見通しが立たない不安。もし自分や家族が同じ状況《じょうきょう》に置かれたらと受けとめながら話を聞くと、原発事故がより身に迫《せま》る出来事だと感じます。語り部の話は毎営業日に計4回聴くことができます（午前と午後で語り部が代わります）。事前に日程を確認したうえで訪れてください。

第三に、原発事故に対する東京電力の責

任について触《ふ》れたパネルです。展示は「安全神話の崩壊《ほうかい》～対策を怠《おこた》った人災」と題して東京電力や国の責任に言及《げんきゅう》しています。「津波等への備えが不十分だったことは、各事故調査報告書からも明らかであり、このような事故を二度と起こしてはなりません」。政府の事故調報告書いわく「深刻なシビアアクシデントは起こり得ないという安全神話にとらわれていた」。国会の事故調報告書いわく「今回の事故は「自然災害」ではなくあきらかに「人災」である」。どれも重い言葉です。

＊

ここからはぼくの家族の話で恐縮《きょうしゅく》ですが、2022年に79歳《さい》で亡くなったぼくの父（1943年生まれ）は、いわき市の小名浜港《おなはまこう》に長く勤務する公務員でした。米国の技術を導入した福島第一原発の建設当時、海外製の部品を輸入する手続きなどで建設現場に何度も足を運んだといいます。

原発建設に懐疑的《かいぎてき》だった若き日の父は、東電の現場責任者との雑談中に直接疑問を投げかけたこともあったそうです。ただ、福島県の浜通り地方では、多くの人々が原発に関連する仕事に従事してきました。親類や隣《となり》近所、友人に原発やエネルギー関連の仕事につく知り合いがいない人はいない、と言っても過言ではないでしょう。両親によると、ぼくも小学生のころ、原発の電気が豊かな未来につながっているという絵画コンクールに作品を提出し、授賞式のために原発を訪れたことがあったと言います。

東京電力の仕事をしていた地元出身の関係者にも、何らかの意味で原発事故の責任があるかもしれません。一方で、地元出身の作業員の多くが当時、原発事故の拡大を防ごうと命がけで働いたのも一面の真実です。では、原発がつくった電気を使って暮らしてきた人は、どのていど事故に対する責任があるのか。民主的な手続きを経て原子力エネルギーに頼《たよ》ることを容認してきたぼくたち大人にも、多少なりと責任はあるのではないか。

東京電力や国の責任は重いけれど、東電や国だけの責任なのか。では、誰《だれ》にどのくらいの責任があるのか――。考え始めると、答えは一つではないことに気づかされます。

*

ちょっとプラス

伝承館を訪れたら、隣接《りんせつ》する**双葉町産業交流センター**の屋上にのぼることをおすすめします。東は太平洋を望む海岸線。西は阿武隈《あぶくま》高地の山々。南の方角に福島第一原発があります。廃炉《はいろ》作業の状況や天候によりますが、排気《はいき》塔《とう》やクレーンが小さく見えることがあります。原発の敷地《しきち》内《ない》を見学しなくても、事故現場との距離を体感できます。

伝承館の最寄《もよ》り駅はＪＲ双葉駅。ＪＲ常磐線は２０２０年に9年ぶりに不通区間が解消されました。駅周辺の建物などの壁面《へきめん》を使い、復興を目指す思いを力強く描《えが》いた壁画をあちこちで目にすることができます（FUTABA Art District）。復興住宅も完成し、入居が進んでいます。

伝承館の近くには、大規模な復興祈《き》念《ねん》公園も建設中です。駅周辺は「特定復興再生拠点《きょてん》区域」に指定され、22年に避難指示が解除された後も住民の居住環境の整備などの復興事業が進んできました。数カ月おきに何度か訪れると変化に気づくでしょう。

それでも駅周辺の商店街や国道6号沿いには、震災の爪《つめ》あとが残る家屋などが点在しています。無人の家屋や商業施設などは取り壊《こわ》しが進み、だいぶ数が減りましたが、震災前の暮らしぶりが想像できます。多くが私有地であり、敷地《しきち》内《ない》への立ち入りや撮影《さつえい》は制限されています。持ち主など関係者のつらい思いを思いやりながらそっと目を向けましょう。

日本の原子力発電所の稼働《かどう》状況

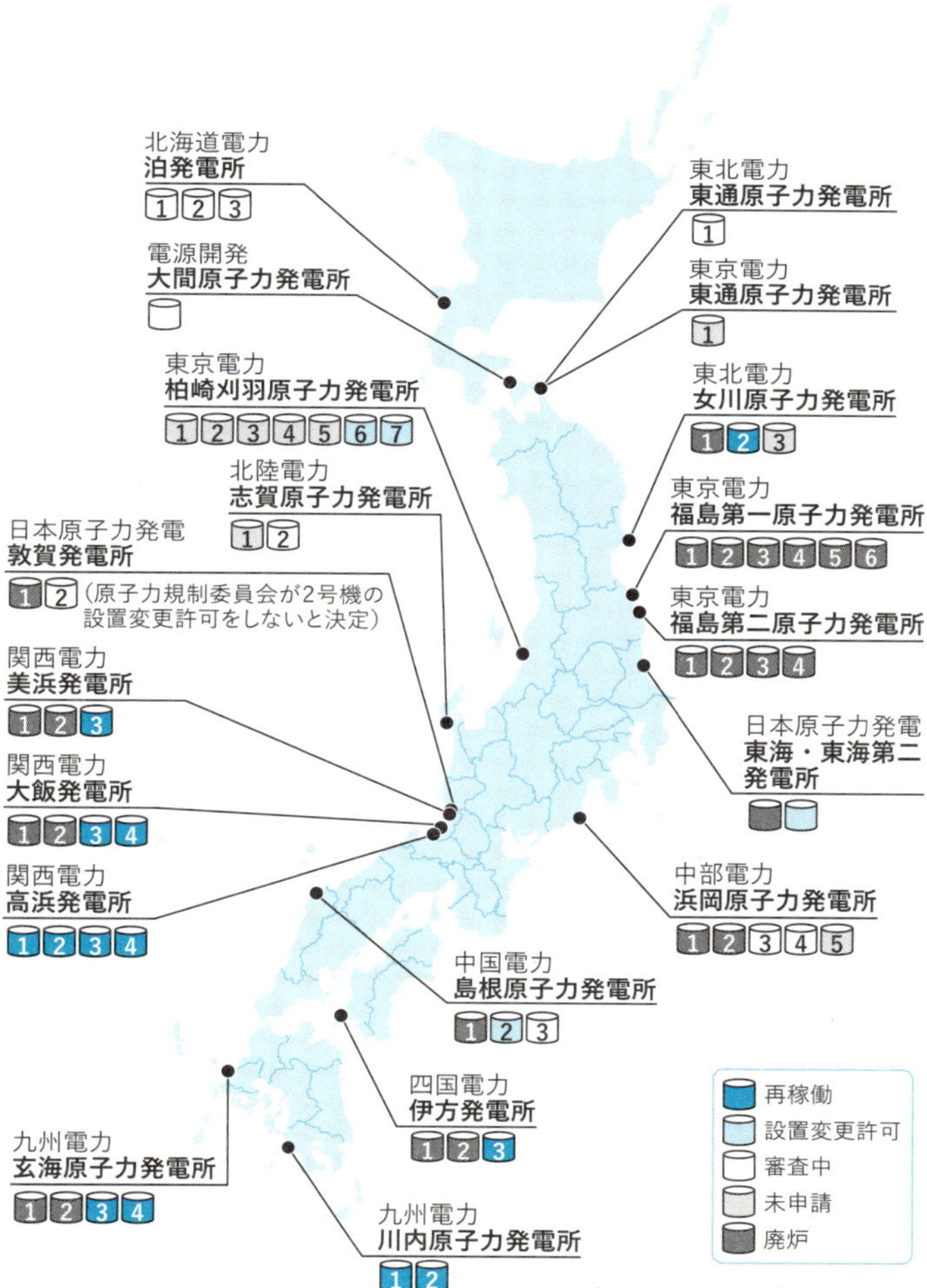

※資源エネルギー庁（2024 年11月）

東京電力 廃《はい》炉《ろ》資料館

◆【住所】福島県富岡町中央3丁目58◆【電話】0120-502-957◆【開館時間】午前9時30分～午後4時30分◆【休館日】第3日曜日、年末年始◆【入館料】無料　※平日・土曜は1日5回のガイド付きツアー制（所要60分）、日曜・祝日は自由見学制

震災と原発事故当時の福島県内には、東京電力福島第一原発（1〜6号機）と同第二原発（1〜4号機）が立地していました。この資料館は、二つの原発を運転していた東京電力が、原発事故の様子と事故後の廃炉作業の現状を伝えるために設けている施設です。

まずは、ちょっとかわいい外観のデザインに注目してください。ウラン以外の放射性元素を発見するなどして、ノーベル賞を二度受賞したマリー・キュリー（キュリー夫人）の生家などを模したメルヘン調の建物です。事故以前は東京電力が福島第二原発のPR施設として利用し、原子力エネルギー利用の利便性や安全性を伝えていました。事故後にいちど閉館し、18年に展示内容を改めて再オープンしています。

展示は「おわび」の映像から始まります。はっきりと謝罪の言葉を述べたうえで、なぜ原発事故が起きたのか、廃炉作業の現状はどうなっているのか、トリチウム水（ALPS処理水）の海洋放出がなぜ必要なのか、といった解説が1〜2階の展示空間に詰《つ》め込《こ》まれています。

注目したい展示は三つ。第一に、原発事故の経過です。東京電力が事故をどう認識しているかが分かりやすく説明されています。事故がなぜ起きどのように深刻な事態を招いたのか、原子炉や格納容器の内部がどうなっているかなど、おおよその情報が得られます。原子炉内の状況や事故の経過には未解明の部分があり、今なお謎《なぞ》が残ることも意識しながら学びましょう。

第二に、廃炉作業の現状について。大画面で福島第一原発の圧力容器内の様子を眺《なが》めることができます。当初の計画からの遅《おく》れが見て取れますが、廃炉の取り組みは大きな技術的困難に直面しながらも、一歩一歩進んでいるのだと分かります。

第三に、本来は密閉性を保つべき原子炉の格納容器内に地下水が流れ込むなどして生じる汚染水《おせんすい》を処理した水（ALPS処理水）を海洋放出する理由や仕組みを説明しています。

ここで確認しておくと、福島県内の人々は、この原発でつくられた電気を利用していたわけではありません。福島県内では東北電力の電気を利用しており、福島第一・第二原発の電気は、首都圏などの東京電力管内の大量の電力需要にあてられていました。福島の原発は、福島の人たちの電気をまかなうためではなく、東京の人たちの電気をまかなうために稼働していたのです。福島第一原発の事故は福島県内で起きましたが、東京電力の施設で起きた事故です。なるべく「東京電力福島第一原発事故」と呼びたいと思います。

新潟県の東京電力柏崎刈羽《かしわざきかりわ》原発も、首都圏の電力需要をまかなっていました。事故前の日本の原発は全国に54基。事故後に各地で廃炉が進む一方で、国の新基準のもとで再稼働が進んでおり、2024年11月現在で13基が稼働しています。国は再稼働を進めると同時に、老朽化《ろうきゅうか》した原発の置き替《か》え（リプレース）や新増設も検討しています。

もちろん、原発の立地により福島の人たちも働く場を得るなどの利益を得ていました。ただ、消費地の東京近くに原発があるわけではありません。「東京の豊かな暮らしのために福島で事故が起き犠牲《ぎせい》になった」という見方にも一理あるように思います。

＊

ちょっとプラス

廃炉資料館はＪＲ富岡駅から徒歩圏内です。周辺には生鮮《せいせん》食料品や日用品を扱《あつか》う小売店が入る**さくらモールとみおか**（17年に全面開業）などの商業施設もあり、日常のにぎわいを取り戻《もど》しています。

駅や廃炉資料館から少し離《はな》れた高台にある**とみおかアーカイブ・ミュージアム**（21年開館）は、災害対策本部の実物大展示などを通して原発事故当時の様子を再現しています。地震直後に見回り中の警察官が乗車し、津波で被災したパトカーの実物も展示しています。

原発事故が地域にもたらした影響《えいきょう》や放射性物質を取り除く除染作業などについて学ぶ施設は、ほかにもあります。18年開館の**特定廃棄物埋立《とくていはいきぶつうめたて》情報館リプルンふくしま**（富岡町）は、放射性物質に汚染された特定廃棄物を埋め立て処分する作業について学ぶ環境省《かんきょうしょう》の施設です。19年開館の**中間貯蔵工事情報センター**（大熊町）は、除染により発生した土壌《どじょう》などを最終処分するまでのあいだ貯蔵する施設の最新状況を伝えます。

福島第一原発の敷地内の見学には、事前の手続きが必要です。少しハードルが高そうですが、おもに団体での見学の機会が開かれています。原発事故の「現場」は周辺の広い地域に及び、事故がもたらした問題は多岐《たき》にわたります。事故の全体像をつかむには、複数の施設を訪れる必要があります。

東京電力福島第一原発事故の経緯（2011年3月11 ～ 14日ごろ）

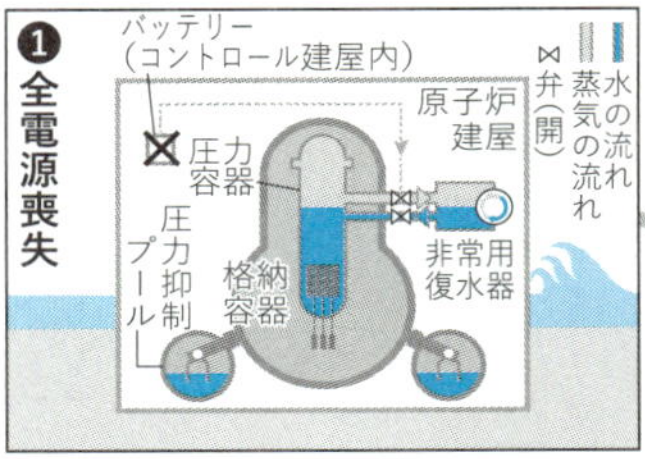

運転中の１～３号機は地震直後に緊急停止。主に地震により外部からの送電が途切れ、津波が建屋内に浸水。非常用ディーゼル発電機やバッテリーの電源を失う。

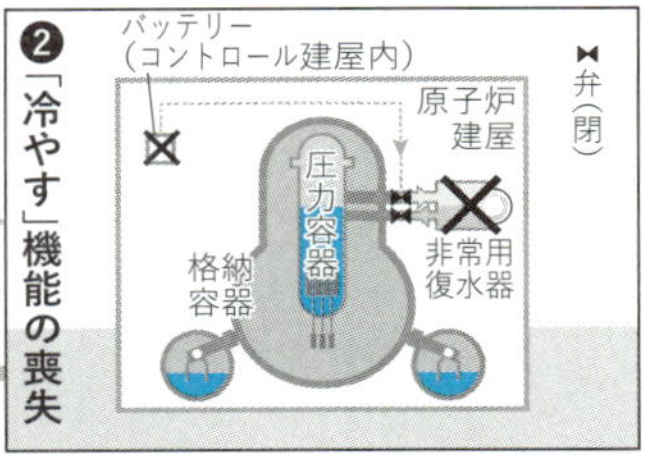

電源を失ったことに加えて、圧力容器内への注水ができなくなるなどして、炉心の冷却機能がいずれも使えなくなってしまう。

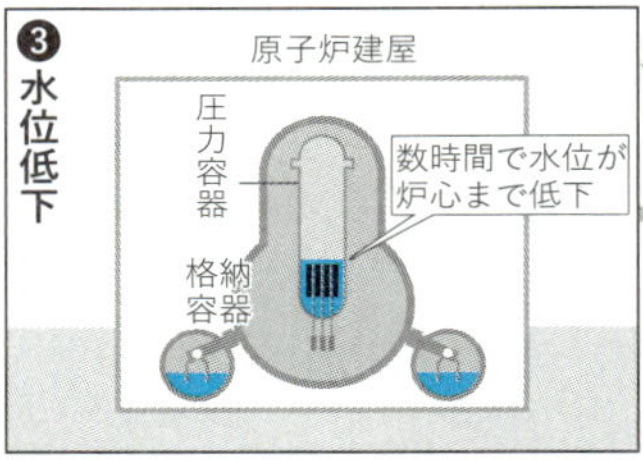

運転停止後に発生する燃料の崩壊熱を冷却できず、圧力容器内の水が蒸気になり、数時間で水位が炉心まで低下。

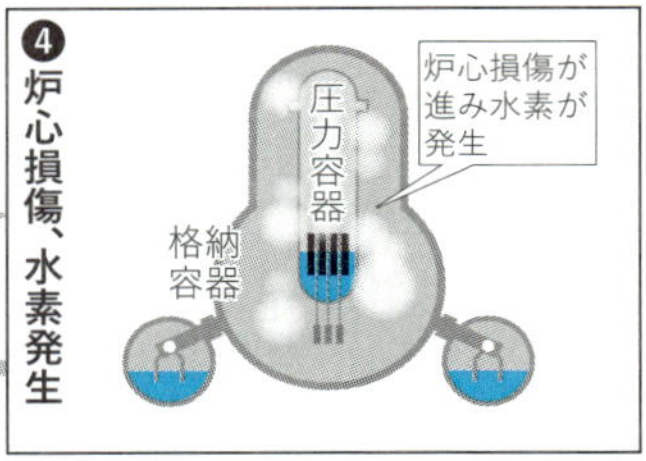

圧力容器内の水位低下により燃料が露出し、さらに温度が上昇。高温の燃料が水蒸気と反応し、水素が発生。燃料も損傷。

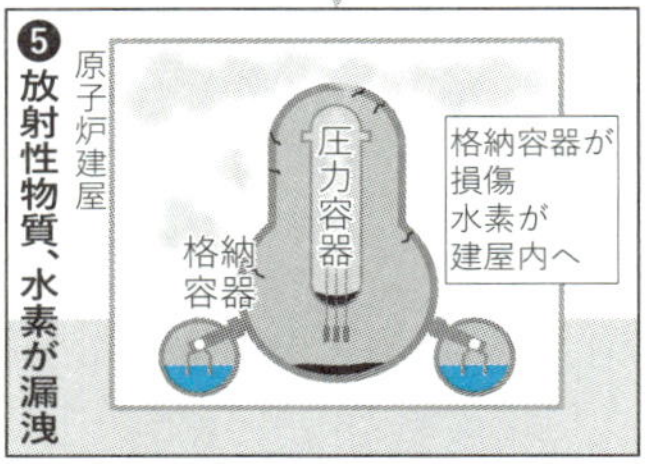

圧力容器と格納容器が損傷。水素が原子炉建屋内に漏れ、１・３号機で水素爆発。１～４号機の放射性物質が大気中に拡散。

※東京電力サイトなど参照

おれたちの伝承館

◆【住所】福島県南相馬市小高区南町2丁目23◆【電話】090-4311-4402◆【開館時間】不定期（午前11時～午後4時ごろ、要問い合わせ）◆【開館日】土日・祝日を中心に開館（要問い合わせ）◆【入館料】無料

「もやい展実行委員会」代表を務める都内在住の写真家・中筋純《なかすじじゅん》さんが手弁当で始めた民間の伝承施設です。「もやい展」は2017年に東京・練馬区美術館で開かれた展示をきっかけに始まった複合的なアートプロジェクト。「もやい」という言葉には、多くの人による共同作業という意味があります。中筋さんは23年、芸術表現を通して震災と原発事故の現状を伝えようと仲間を募《つの》り「おれたちの伝承館」を開館しました。「おれたちの」は地元の老若男女が口にする「わたしたちの」という意味の方言です。おばあちゃんの一人称《いちにんしょう》も「おれ」。「伝承館」は双葉町の伝承館を意識した命名です。

　国や自治体が運営する施設は、どうして

も行政の視点から見た震災の記録が中心になりがちです。被害の規模はデータで示され、行政はこう動いた、こんな資料が残っている、といった客観的な根拠《こんきょ》をもとに震災の様子を伝えます。それも大事な取り組みです。

一方で、住民一人一人は震災当時、どんな思いを抱《いだ》いていたのか。何が不安で、何が希望だったのか。今、どんな思いでいるのか。そうした主観的であいまいな、でも多様で、一人一人にとってとても重要な生々しい出来事を自由な芸術表現によって記録し、伝えたい。そうした中筋さんの思いに共感した表現者たちがさまざまな作品を寄せています。

古い2階建て倉庫を改造した手作りの小さな施設内には、絵画や彫刻《ちょうこく》、詩や映像などの作品がところ狭《せま》しと並べられています。備え付けのノートには訪問者それぞれの思いがつづられており、あのとき本当はこうだった、こんな思いを抱《かか》えていたことを伝えたい、忘れたくない、といった多くの人々の感情が伝わってきます。

圧巻は天井画です。神奈川県藤沢市《ふじさわし》の日本画家・山内若菜《やまうちわかな》さんが何度も福島に通い、見聞きしてきた被災地の事故前から現在、未来へと至る時の流れが描き込まれています。事故後に畜産業《ちくさんぎょう》を営んでいた住民が避難し、死んでいったウマやウシ。事故後を必死に生きている人たち。鮮《あざ》やかな色づかいで、見上げていると時を忘れる力強い作品です。

電気を使う側とつくる側を対比する著書『コンセントの向こう側』（小学館）もある中筋さんらの「おれたちの伝承館」はさまざまな支援を必要としています。寄付やボランティアの相談はデータ欄《らん》の連絡先《れんらくさき》にどうぞ。

＊

ちょっとプラス

「おれたちの伝承館」がある南相馬市小高《おだか》地区には、ほかにも作家・劇作家の柳美里《ゆうみり》さんが18年から運営する書店・**フルハウス**、カフェや遊び場などの複合施設・**小高交流センター**（19年開館）など、震災後にできた官民の施設があります。

浜通り地方全体に視野を広げると、いわき市の温泉旅館・古滝屋《ふるたきや》が21年から運営する**原子力災害考証館furusato**、楢葉町の宝鏡寺《ほうきょうじ》の境内《けいだい》に同じく21年に開館した**ヒロシマ・ナガサキ・ビキニ・フクシマ伝言館**などの民間伝承施設もあります。

仙台《せんだい》市内に本社がある地元紙・河北新報は、経済学者で大阪公立大学教授の除本理史《よけもとまさふみ》さんらの協力のもとで、こうした施設を「オルタナティブな（もう一つの）伝承館」、略して「オルタナ伝承館」と呼び、紹介する記事を載せています。除本理史・河北新報社編著『福島「オルタナ伝承館」ガイド』（東信堂）が2024年秋に出版されています。

岩間防《ぼう》潮《ちょう》堤《てい》、岩間防災緑地

※画像提供：震災伝承ネットワーク協議会

◆【住所】福島県いわき市岩間町岩下地内 ※県道239号（泉岩間植田線）沿いに駐車《ちゅうしゃ》スペースあり◆【問い合わせ先】福島県いわき建設事務所 0246-24-6106

震災後の２０１８年、福島県いわき市内各地の海岸線には防潮堤が整備されました。その一つが同市南部、岩間地区の防潮堤です。見学したい施設が数多いなかで、なぜ岩間を訪れてほしいのか。それは津波浸水《しんすい》域《いき》の「その後」を知るのとあわせて、原発に代わる電源として期待される最新鋭《さいしんえい》の石炭火力発電所を含む常磐《じょうばん》共同火力勿来《なこそ》発電所が一望できる場所だからです。

津波で破壊《はかい》された古い防潮堤のすぐ隣《となり》にできた新しい立派な防潮堤の上に立つと、火力発電所の設備が遠くに見えます。防潮堤のすぐ内側の荒地《あれち》は、津波の浸水で家々が流された場所です。今では、かろうじて再建された墓地が往時の姿を伝えています。

震災当時、岩間地区や近くの小浜《おばま》漁港をおそった津波は最大7メートル超。防潮堤の背後に広がる岩間地区は、130世帯300人以上が被災しました。

新しい防潮堤上には、防災緑地と全長約53キロのサイクリングルート「いわき七浜《ななはま》海道」が整備され、卵形のモニュメント「きみと」、津波で破壊された古い防潮堤のモニュメントなども点在しています。

石炭火力発電は地球温暖化の原因物質を大量に排出《はいしゅつ》する発電方法として、世界各国から厳しい目で見られてきました。ところが原発事故が起き、大半の原発が稼働しなくなると、都市部の電力需要をどうやってまかなうかが喫緊《きっきん》の課題となりました。そこで、熱効率を大幅《おおはば》に改善した最新鋭の石炭ガス化複合発電（IGCC）が注目されました。

水力、火力、原子力、太陽光、風力……。どんな発電方法にせよ、発電された電気を大量に消費するのは、東京などの大都市に住む人たちです。震災・原発事故当時は、福島の原発が停止したことで首都圏や関西などの電力需要がまかなえず、大規模停電が起きる事態が想定されました。消費電力量が大きい首都圏などで節電が呼びかけられ、国の指示で大規模な「計画停電」が続きました。輪番制で地区ごとに代わる代わる停電すると、一般《いっぱん》の家庭でも照明や冷蔵庫、エアコンなどが使えなくなりました。

国全体の電力需要を支えるのは、果たしてどの電源なのか。エネルギー政策をめぐる議論が続いており、誰《だれ》もが納得する答えは見つかっていません。地球温暖化対策として有力なのは、太陽光や風力などの再生可能エネルギーなのか、最新鋭の石炭や天然ガスを使った火力なのか、あるいは水力、はたまた事故のリスクがある原子力なのか——。コストや技術開発をめぐる議論が続いています。

＊

ちょっとプラス

いわき市内で津波の被害が大きかった沿岸部には、いくつかの震災アーカイブ施設が点在します。市北部のいわき市役所久之浜《ひさのはま》・大久支所内にある**いわき市地域防災交流センター久之浜・大久ふれあい館**（16年開館）や豊間《とよま》地区の**いわき震災伝承みらい館**（20年開館）は、原発事故の被害に加えて、津波の被害を伝えています。ふれあい館は避難所の再現展示、みらい館は津波で被災した中学校のグランドピアノなどが展示の目玉です。

浜通り地方北部にも**相馬市伝承鎮魂《ちんこん》祈念館**（15年開館）があり、津波の被害を伝えています。一方で、原発周辺は避難指示が続いており、行方《ゆくえ》不明者の捜索《そうさく》や津波の被害状況の調査が難しく、被害の全貌《ぜんぼう》は未解明です。

いわき市内には、エネルギー問題の歴史を学べる施設もあります。常磐炭田の歴史を知りたい人は、公共施設の**いわき市石炭・化石館ほるる**、炭鉱で働いた経験がある渡辺為雄《わたなべためお》さん（故人）が炭鉱関連資料を集めて開設した**みろく沢炭砿資料館**《さわたんこう》の2館を訪れてください。炭鉱の仕事や暮らしを再現する「ほるる」の展示も必見ですが、渡辺さんの資料館には命がけの過酷《かこく》な労働環境で働いた当事者ならではの熱量のある資料が並んでいます。

温泉や温水プール、ホテル、ゴルフ場などからなる大型レジャー施設、**スパリゾートハワイアンズ**も震災ゆかりの場所です。常磐炭田が閉山し、職を失った人々を救おうと、1966年に温泉やフラダンスのショーを売りにした常磐ハワイアンセンターが開業。90年の改名後には創業の物語を描いた映画「フラガール」（2006年）がヒットしました。震災後は支援《しえん》を呼びかけるフラガールたちの全国ツアーが元気を与《あた》えました。

ひと

対等な対話で 大きく広い学びへ

吉《よし》川《かわ》彰《あき》浩《ひろ》さん

（元・東京電力社員／一般社団法人 AFW 代表理事）

1980年、茨城県常総市生まれ。東電学園高等部卒業後、東京電力に入社。福島第一・第二原子力発電所に勤務。2012年6月、東京電力を退社。一般社団法人AFWを立ち上げ、現在に至る。南相馬市小高区在住。

地震・津波や原発事故に直面した人々はこの10年余り、何を模索《もさく》してきたのか。福島編では、原発事故後に東京電力を退職し、福島第一原発の現状を伝えてきた元社員を紹介します。事故の収束に取り組む現場の環境改善を訴《うった》え、廃炉作業の現状を伝えてきた吉川彰浩さんは、特に若い世代との対話に力を注いできました。未来を語る思いを聞きました。

*

——震災と原発事故から10年以上。これまでの活動をどう振《ふ》り返りますか。

生まれ育ったのは茨城県。東京電力社員として福島第一原発、第二原発で計14年働き、県内で家庭を持ちました。震災と原発事故当時は、第二原発の廃棄物《はいきぶつ》処理建屋で廃液を処理するなどの保全の仕事にたずさわっていました。震災後に東電を退職し、民間の立場から原発事故やその周辺の社会課題を考え、広く伝える活動を始めました。

例えば、過酷《かこく》な状況《じょうきょう》で心身をすり減らし、厳しい世論にさらされながら働く作業員の労働環境を改善する必要がある。いま福島第一原発、いわゆる1F（イチエフ）はどんな状況なのかを最も影響《えいきょう》を受けた地域住民に知ってもらうために、かみ砕《くだ》いて情報を伝える必要がある――。そうした課題に取り組むには、専門性はあるけれど何かと不自由な社員でいるより、時間も自由になる民間のほうが動きやすいと考えました。何より被災地の状況をわたしもよく知らなかったのです。

――昔の出来事を知らない人に伝えるような「語り部」の活動とは少し違《ちが》いますね。

事故現場の具体的なイメージをもってほしいと、原子炉建屋内まで分かる1Fの精密な模型をつくり展示して回り、直接福島第一原発を見る機会を作るため、定期的な民間視察も行いました。最初の数年は、日々刻々と変わる原発事故の状況を知りたい人が多かったし、わたし自身もそうした活動に意義を感じていました。

もちろん、原発事故はわたしを含《ふく》めた多くの人の人生を変えました。だから、これまでの自分を問い直し、人生を問い直す。不十分かもしれないけれども、地域の優良企業《きぎょう》の社員という地位を捨てて、原発事故に対する責任の一端《いったん》を感じながらこれまでを振り返る。そして、不透明《ふとうめい》な今後を見通したい。事故当時すでに大人だった人は誰《だれ》しも、そうした感覚があると思いますが、ぼくもその一人です。

――そうした試行錯誤《しこうさくご》しながらの歩みや苦悩《くのう》を隠《かく》さない語りは、中高生や大学生などの若者のこころに響《ひび》くものがあるようです。

修学旅行や学習旅行で訪れる中高生、あるいはボランティアで県内を訪れる大学生などに話す機会がたびたびありました。わたしと若者とは、常に対等な立場です。わたしはこう考えるけれど、君はどうか。原発事故からはこんな教訓が得られると思うけれど、どう感じるか。あるいは、いまとても困っているので、できれば力を貸してほしい――。手加減なしの本気の姿勢で臨むと、若い世代が難しい社会課題にも興味を示してくれる。彼《かれ》ら、彼女《かのじょ》らと向き合う手応えを感じるようになりました。

――正しい知識、正確な情報ばかりを伝えているわけではない。

その点については反省もありました。海外の大学生に話す機会があったときのこと。多数の専門用語を使って説明したら「知識の棍棒《こんぼう》を振るわれているようだ」という感想が寄せられました。わたしとしては「考える材料」を提供しているつもりでも、知識や情報だけではそうならない。原発の模型づくりや福島第一原発と周辺地域の過去・現在・未来を考察する小冊子の配布などに力を入れたきっかけの一つでした。

――当初から数十年後の未来へとつながる語りを想定していたわけですか。

原発事故に対する責任をどう感じるか。深く考えようとすると、どうしても思想や哲学《てつがく》のようなものが必要になります。中長期の工程表をみると、事故を起こした原発の廃炉作業が完了《かんりょう》するのは２０５０年ごろ。事故から約40年後にわたしや大内さんは生きていないかもしれない。次の世代にいや応なく手渡《てわた》さなければならないものがあるわけです。次の世代は単にわたしたちから宿題を手渡されるだけではない、未来に向けた選択と決定の主体であるべきでしょう。

――震災や原発事故をめぐっては、さまざまな論争や意見対立が生じてきました。でも、10〜20代の人たちが取り組む有効なテーマになりうるとも感じます。

福島県いわき市の教育委員会を通じて、各小中学校に小冊子を配布し、話す機会をもらったことがあります。首都圏屈指《くっし》の進学校である開成中学校・高校（東京都荒川区）の生徒さんたちを前にして、原発事故の経緯や事故をめぐる議論を紹介し、生き方や価値観まで腹を割って話し込んだこともあります。

　わたしは自分が自分を裏切るような生き方はしたくないと思ってきたし、いまもそう思っています。君たちはどう生きるか、反省や後悔《こうかい》も多いわたしの話からぜひ学んでほしいと問いかける。子ども扱《あつか》いはしない。大人の「上から目線」での対応もしない。できるだけ、かみ砕いて本質を伝える。そうすると、無関心だった子の多くを話に引き込むことができると感じました。

　大人は子どもに見透《みす》かされています。こちら側にとって都合のいい知識を一方的に伝えようとするのでは届かない。たとえ原発事故を体験したアドバンテージがわたしの側にあるとしても、子どもたちは大人が完璧《かんぺき》な答えをインプットする対象ではない。

　必要なのは、対等な立場での対話です。なるべくていねいに。でも答えを言わない。多様な視点を示す。情報を盛り込みすぎない。福島以外の話もする。世界史に残る出来事だと伝える。危ないとか、かわいそうでは済ませず、大きく、広い学びになるように心がけています。


――とはいえ、10年以上がたち衝撃《しょうげき》は薄《うす》れています。当時を知らない世代が増え、体験や記憶の「風化」は避《さ》けられない。伝え続けるにはどうしたらいいでしょうか。

原発事故の問題は解決していない。今後も向き合っていかなければならない問題であり続けます。そうしたなかで、この日本社会において、なぜ事故が「風化」しつつあるのか、という問いが必要だと思います。

原発事故の現状を伝える活動の機会は年々減っており、今もゼロではありませんが、わたし自身も別の仕事を持つようになっています。ただ、被災地で田んぼを借りてお米を毎年つくっていると、田植えや草刈《くさか》りから収穫《しゅうかく》までの毎日の農作業を通して、一年一年の積み重ねが「歴史」になっていく実感があります。

当たり前の日常は当たり前ではない。誰かを助けたいという思いが自然とわいてくる。何十年、何百年、ひょっとすると何万年もの人の営みが積み重ねられてきたなかで、自分がいまどこにいるのか。次の世代、その次の世代、さらにその先の世代への想像力をもつこと。そうして、自分なりの歴史の軸《じく》をもつこと。

東北の被災地には、探究学習や総合学習の材料が無限にあると思います。文明の発展とともに、電気を使い豊かな暮らしを送っている自分の生き方について考え、自分なりの思想や哲学をもとうとするときに、これほど役に立つ「面白い」場所はない。わたしはそう考えています。ぜひお越《こ》しください。そして話し合いましょう。

「旅」の途中で

1

なぜ「線」を越《こ》えて被災地《ひさいち》を歩くのか？

2011年3月11日、巨大地震《きょだいじしん》による大きな揺《ゆ》れが起き、津波《つなみ》が東北の沿岸部などに深刻な被害をもたらしました。地震・津波により多数の死者・行方不明者がでたほか、東京電力福島第一原発が過酷《かこく》事故を起こし、廃炉《はいろ》作業と住民の長期避難《ひなん》は今も続いています。

新聞・テレビなどの報道は、「ニュース」と言うくらいですから、新しく起きた出来事に注目する傾向《けいこう》があります。人類史上まれに見る原発事故と長期避難についての報道が優先され、地震・津波による被害を報じる機会が十分に手厚かったのかどうか。いずれにせよ、被災地では「報じられる問題」と「報じられにくい問題」の落差が生まれました。

思えば3・11は、こうした落差や分断の「線」が各所で引かれた出来事でした。津波で浸水《しんすい》した家としなかった家。亡くなった方がいる家族といない家族。避難した人としなかった人。避難する側と迎《むか》える側。慣れ親しんだ我が家に戻《もど》れた地域と戻れない地域。電気をつくる側と使う側――。原発事故に直面する福島と津波被害が深刻な宮城・岩手との間にも「線」が引かれました。

3県を分断する「線」を乗り越えられないか。被災地と首都圏《しゅとけん》や西日本を分断する「線」を乗り越えられないか。ぼくがこの本全体を通して考えたいテーマの一つです。

もちろん、ぼくは首都圏に暮らす福島県人です。いわき市内の故郷に帰省する機会が多い一方で、宮城や岩手に足を運ぶ機会は限られます。ただ、ぼくは福島県内の被災地を見てまわるうちに、福島だけを見ていても、問題の本質がよく分からないのではないかと感じるようになっていました。同じ巨大災害を体験した福島県内のようすを知る者として宮城・岩手を歩き、災害全体を見渡《みわた》せば、見えてくるものがあるかもしれません。

まずは足を運んでみよう。そう考え、宮城や岩手の被災地をドライブするようになったのはコロナ禍《か》の2年目、震災から丸10年が経過した21年ごろのことです。

首都圏から仙台は、車で最低でも片道6時間。岩手の沿岸部はそれ以上の距離《きょり》です。夜ふけに東京近郊《きんこう》の自宅を出発し、三陸の現地に着くのは早朝。日暮れまで車を走らせ、帰宅は深夜。日帰りや1泊《ぱく》の「旅」を繰《く》り返しました。気づけば、被災地には震災アーカイブ施設《しせつ》などが増え、被災地以外からの訪問を受け入れる態勢が整い始めていました。

宮城編と岩手編は、そうした経験をもとに、ぼくなりに宮城や岩手の被災地を知り、震災の全体像を探ったうえでの「たたき台」を目指してみます。

「旅」の途中で

2

宮城・岩手と福島の被災地の共通点は？

東日本大震災のような複合災害は、どの側面から見るかで印象が変わります。福島編で紹介《しょうかい》したような視点で3・11を見れば、地震・津波の被害よりも原発事故の深刻さに関心が向かいます。でも、この本の宮城編や岩手編の視点で3・11を見れば、東日本大震災は何と言っても地震・津波の被害であり、原発事故の深刻さは印象が薄《うす》くなります。

ただ、3県には共通点があります。津波の死者・行方不明者は、福島県内にもいます。宮城・岩手の農水産物も、原発事故による出荷制限や買い控《ひか》えの影響《えいきょう》を受けてきました。

何より、3県の被災地は農業や漁業が盛んで、過疎化《かそか》や高齢化《こうれいか》の問題に直面してきた地域です。若者や現役世代が多ければ津波からの避難や復旧・復興も早かったでしょう。

宮城・岩手が直面している問題は、福島が抱《かか》える問題と地続きではないかとぼくは考えています。その問題とは「過疎」と「人口減少」です。

戦後の人口増加と高度経済成長のもとで、人々の働き方は、農業や漁業、林業から工場労働やサービス業へと変わっていきます。地方の農漁村・山村から都市へ。若い世代は進学や就職のさいに、東京や大阪などの大都市を目指しました。東北などの農村部に暮らす人も、現金収入を求めて都市部の工事現場などに「出稼《でかせ》ぎ」に出ました。

宮城や岩手、福島の沿岸部の人口は減少傾向となり、産業構造の変化に応じた新たな雇《こ》用《よう》の場が必要とされました。ちょうど首都圏など大都市の電力需要《じゅよう》が高まっており、過疎地に原発が建設されました。１９６６年に茨城県東海村で日本初の商業用原発が営業運転を開始。東京電力福島第一原発（福島県大熊町、双葉町《ふたばまち》）1号機が運転し始めたのは、71年のことです。84年運転開始の東北電力女川《おながわ》原発（宮城県女川町）は津波の被害を間一髪《かんいっぱつ》で免《まぬか》れたと言われます。海抜《かいばつ》約15メートルの原発を襲《おそ》った津波の高さは約13メートル。女川原発は事故を起こさずに済み、福島第一原発は深刻な事故を引き起こしました。

過疎地でなければ原発など立地しなかったでしょう。都会での進学・就職がうまくいくとは限らない。出稼ぎは重労働が多い。原発を受け入れれば、生まれ育った地域、慣れ親しんだ町や村で豊かに暮らせる――。そう考えた人たちを誰《だれ》が責められるでしょうか。

東北地方の過疎化や人口減少は、首都圏などの大都市の人口増加と密接に関係しています。東北の原発がつくる電力を消費し、水産物や農産物を消費するのは、主に首都圏など都市部の人々です。宮城・岩手と福島の問題は、東京や大阪とつながっているのです。

「旅」の途中で

3

宮城・岩手に学ぶ「復旧・復興はいつ終わる？」

ここまで、震災からの「復旧・復興」という言葉を何度か使ってきました。一般《いっぱん》に、災害からの復旧や復興とは何を指すのでしょうか。3・11後の宮城・岩手では、原発事故やそれに伴《ともな》う避難が続く福島よりも早く、復旧・復興が始まりました。3・11から10年以上。地震・津波からの復旧・復興は終わったのでしょうか。どうなれば復旧・復興は終わったことになるのでしょうか。

国や自治体、インフラを提供する企業《きぎょう》の立場から見れば、電気・水道などのライフラインが元通りとなり、崩《くず》れた道路が再び通れるようになれば、復旧と言えるかもしれません。被災者も被災した家屋を再建し、日常生活が戻れば暮らしが復旧したと言えそうです。

ただ、宮城・岩手の被災地でも、復興の方針が固まるまで数年がかりの議論になり、進学や就職のために地域外に転出する若者や現役世代がいました。小中学校の校舎が使えず、地元企業の雇用が失われれば、当面は別の土地で暮らすしかない。そちらの暮らしが安定すれば、被災地に戻るかどうかで迷う人も出てきます。たとえインフラが復旧しても、人が戻らなければ地域の復興は遠のきます。

　さらに、津波被害が大きかった地域には、家族を突然《とつぜん》失った悲しみに打ちひしがれている人、行方不明のままで心の整理がつかない人がいます。避難所や仮設住宅、災害公営住宅などの事情でご近所や友人知人と離《はな》ればなれになった人も多いでしょう。職場が被害を受けて仕事を失った人、自宅を同じ場所に建て直す許可が下りない人々も大勢います。

　家族も人間関係も仕事も自宅も元には戻らない。そうした中で、どうすれば少しでも元気を取り戻せるか。大きな悲しみや不本意な環境《かんきょう》の変化に対し、それでも前を向いて暮らす「心の復興」はどうしたら実現できるのでしょうか。

　被災地の外から訪れる者は、当事者が抱えるそうしたつらさ、もどかしさを思いやることしかできない。それでも現地を訪れ、想像することはできます。震災まえのその土地の暮らしを想像するための貴重な手がかりが、震災アーカイブ施設や震災遺構です。

　阪神《はんしん》・淡路《あわじ》大震災や3・11、熊本地震の復旧・復興の方針づくりに携《たずさ》わった政治学者の五百旗頭真《いおきべまこと》さん（2024年逝去《せいきょ》）は「創造的復興」を説きました。以前の状態に戻して終わりではなく、前よりもよい状態を目指す――。わたしたちが復旧・復興について考えるときの手がかりになりそうです。

「旅」の途中で

4

災害の体験や記《き》憶《おく》をどう継《けい》承《しょう》するか？

2026年は震災から15年。震災の年に生まれた子は、29年に18歳《さい》を迎《むか》え、成人となります。31年には震災20年の節目がやってきます。

今後も年々、震災を直接体験していない世代が増えていきます。震災当時は幼かったので記憶もない。生まれる前の出来事なので体験していない。そうした若い人たちが、なぜ震災のことを学ぶ必要があるのでしょうか。

震災に学ぶ理由の一つは、日本が災害列島だからです。日本周辺の地域は世界的に見ても地震が集中して起きています。3・11以降も熊本や北海道、能登半島（石川県）などで大地震が起きました。今後も南海トラフ巨大地震や首都直下地震などが懸念《けねん》されています。台風や集中豪雨《ごうう》などの風水害、火山の噴火《ふんか》なども含《ふく》めれば、日本全体が「未災地《みさいち》」です。まだ（未だ）災害が起きていない土地、いつ災害が起きてもおかしくない土地と言えます。災害が起きた土地では、避難や復旧・復興に加え次の災害に備える必要が生じます。

後世の人が震災に学ぶさいに必要なのは、体験や記憶の継承と記録です。震災アーカイブ施設や震災遺構は、限られた情報とはいえ災害の記憶を継承し、記録する場所です。同時代の体験や記憶は、必ず忘却《ぼうきゃく》という壁《かべ》に突《つ》き当たります。体験や記憶をそのまま継承することはできず、何らかの記録を経て、やがて歴史になっていきます。

22世紀を迎える頃、3・11の体験や記憶をもつ人はほぼいなくなります。震災の体験や記憶が鮮明《せんめい》な人は、今のうちに記録しておきましょう。記録は忘却をふせぐ「防潮堤《ぼうちょうてい》」になります。もちろん、その記録はすぐに公開しなくてもいい。記録するのがつらい人は記録しなくていいし、語るのがつらい人は語らなくていい。つらい体験や記憶を忘れようとすることで生きることが楽になる人がいるなら、それでいいと思います。

ただ、やれることはあると思う人は、手を動かしてみましょう。ぼくは自分の子ども3人に、「おじいちゃんやおばあちゃんになったら孫に震災のことを語り聞かせてほしい」と伝えてあります。その孫たちもきっと後世に語り継《つ》いでくれるはずです。

なぜ自分は生かされているのか。今後どう生きればいいのか。大きな災害後を生きる人は、日々みな自問自答し、親しい死者の思い出と対話しています。自分の寿命《じゅみょう》が尽《つ》きるまで、「復旧・復興」という使い古された言葉を超《こ》えた「何か」を目指す。被災地を訪れる人も、そんな被災者の生き方に目をこらし、声に耳を傾《かたむ》けることができればと思います。

宮城・岩手の沿岸部へようこそ！（鉄道・BRT 編）

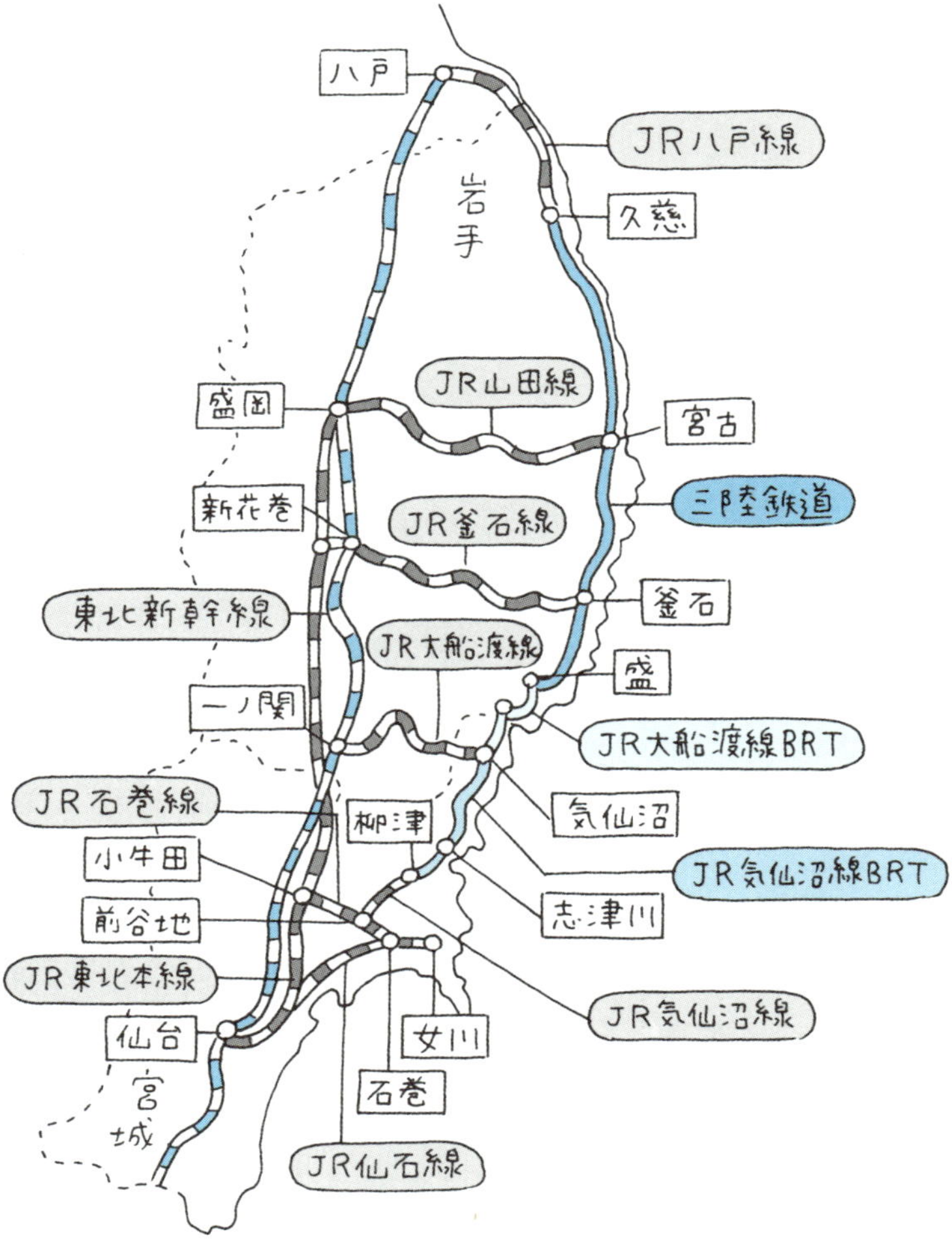

宮城編

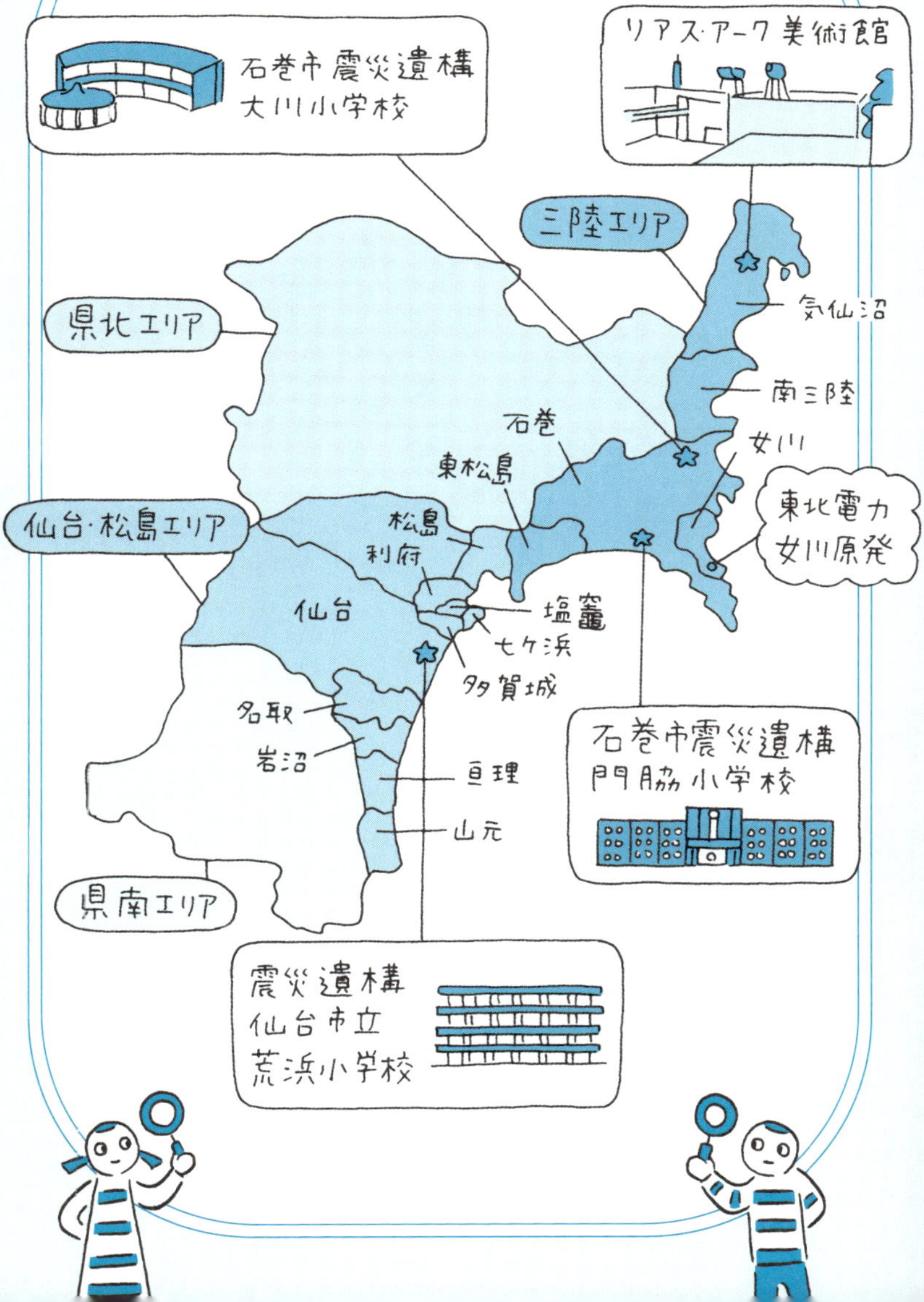

石巻市震災遺構
大川小学校
リアス・アーク美術館
三陸エリア
県北エリア
気仙沼
南三陸
石巻
女川
東松島
東北電力
女川原発
仙台・松島エリア
松島
利府
仙台
塩竈
七ヶ浜
多賀城
名取
岩沼
亘理
山元
石巻市震災遺構
門脇小学校
県南エリア
震災遺構
仙台市立
荒浜小学校

宮城県は東北地方の太平洋岸に位置し、人口約225万人（2024年11月推計）。東日本大震災《だいしんさい》直前は235万人ほどで、震災後に約10万人減りました。県庁所在地の仙台市《せんだいし》は人口109万人超《ちょう》。東北の地理的・経済的な中心地です。

県内は仙台市の広域都市圏《としけん》（仙台地域）、石巻市《いしのまきし》などの石巻地域、気仙沼市《けせんぬまし》などの気仙沼・本吉《もとよし》地域、内陸部の登米《とめ》、栗原《くりはら》、大崎《おおさき》の各地域と南部の仙南《せんなん》地域に分かれます。石巻や気仙沼は三陸エリア、内陸部は県北エリア、県南エリアとも呼ばれます。

3・11では北部の栗原市で最大震度7を記録。沿岸部は大津波《おおつなみ》に襲《おそ》われました。県内の死者1万人弱、行方《ゆくえ》不明者1千人超は、全国の死者・行方不明者数のおよそ半数に相当します。家屋の被害《ひがい》も全壊《ぜんかい》8万棟《とう》、半壊15万棟超と都道府県単位で最多です。仙台平野南端《なんたん》の山元町《やまもとちょう》や亘理町《わたりちょう》、仙台空港がある岩沼市《いわぬまし》や名取市《なとりし》、仙台市若林区《わかばやしく》、宮城野区《みやぎのく》、「日本三景」の松島湾《まつしまわん》、東松島町や石巻市も次々と津波に呑《の》まれました。

三陸エリアの「リアス海岸」と呼ばれる複雑な海岸線の奥《おく》まで何度も津波が押《お》し寄せ、多くの街や集落を呑み込《こ》みました。県内の浸水面積約327平方キロメートルは、名古屋市や相模原市《さがみはらし》の面積に匹敵《ひってき》します。

この章では、宮城県内の代表的な震災アーカイブ施設《しせつ》などを四つ、紹介《しょうかい》します。

石巻市震災遺構
門《かどの》脇《わき》小学校

◆【住所】宮城県石巻市門脇町4丁目3−15◆【電話】0225-98-8630◆【開館時間】午前9時〜午後5時（最終入館は午後4時、11〜1月は午後3時30分）◆【休館日】月曜日（祝日の場合は開館し、翌日休館）、年末年始◆【入館料】大人600円、高校生300円、小・中学生200円、小学生未満は無料

首都圏から宮城に向かう主なルートは、鉄道なら東北新幹線やJR常磐線《じょうばんせん》。車なら常磐自動車道や東北自動車道です。仙台から東へ。海岸線に山が迫《せま》る日本三景の松島を過ぎると再び平地になります。

宮城県内第二の都市、石巻市は人口13万人余り（2024年11月推計）。仙台市から鉄道や車で1〜2時間と交通の便に恵《めぐ》まれ、旧北上川の河口近く、石巻湾に面した港町として栄えてきました。今も水産や造船、製紙パルプなどの産業が盛んですが、震災前からの人口減少に追い打ちをかけたのが震災でした。津波におそわれた石巻市内の死者は3500人超（関連死を含《ふく》む）、行方不明者は4000人に達しました。

石巻市の門脇地区と南隣《みなみどなり》の南浜《みなみはま》地区は、市内でも津波の被害が大きかった海沿いの地域です。死者・行方不明者は計５００人以上。市立門脇小学校も津波で浸水《しんすい》し、「津波火災」にもあいました。ただ、児童を迎《むか》えに来た保護者や学校に避難《ひなん》した地域住民の多くが、北隣の日和山《ひよりやま》に避難したことで、多くの命が救われました。２０２２年開館と比較的《ひかくてき》新しい施設で、全国で唯一《ゆいいつ》、津波火災の被害を伝えています。

「津波火災」とは一般《いっぱん》に、津波の浸水により流された車や船、家屋から出火し、燃え広がる火災のことです。港のタンクからあふれ出た重油、住宅に設置されたプロパンガスなどに引火し、周辺のがれきに燃え移るなどして、大規模な火災となることがあります。

３・11の火災約３７０件のうち津波火災は１５０件超、約４割を占めました。津波そのものの破壊力《はかいりょく》に加えて、浸水した陸地や海上で起きた津波火災が被害を大きくしました。

＊

震災当日、門脇小で何が起きたのか。まず、学校周辺に集まった児童や保護者、地域住民は、校長の判断と教職員の呼びかけにより、標高が高い日和山へと避難しました。校庭へと津波が到達《とうたつ》すると、校舎１階まで浸水。校庭にいた住民たちの中には校舎屋上に避難する人もいました。そこへ津波で流された家屋や車が多数押し寄せ、校舎に火災が延焼し、火に包まれました。とっさの判断で、教室にあった木製の教壇《きょうだん》を「橋」代わりにして校舎2階の窓から裏山の斜面《しゃめん》に「架橋《かきょう》」。残っていた人々は、この急ごしらえの「橋」をつたい裏山へと避難しました。

ほぼ全員の避難が成功した理由は、第一に、平時から後背地の高台への避難訓練を行っていたこと。第二に、教職員が児童や地域住民に呼びかけながら率先して避難したこと。事前の備えに加えて、リーダー役が緊急時《きんきゅうじ》に自ら動き、周囲に避難を呼びかけながら避難することで集団全体の行動をうながす「率先避難」が功を奏しました。

心理学用語でいうと、自分は大丈夫《だいじょうぶ》、今まで大丈夫だったからといった「正常性バイアス」により、緊急時に必要な行動に気づかない人、行動をためらう人がいます。何が最優先かを見極め、都合の悪い情報を過小評価しない。なかなか難しいことですが、集団の中で誰《だれ》かが率先して動けば、やがて全員に危機感が伝わります。

津波や津波火災に見舞《みま》われた本校舎の遺構は、外付けの通路を歩きながら見学します。校舎の骨格はそのままですが、外壁《がいへき》や教室内部が黒く焼けこげた生々しい様子が、多数の命にかかわる切迫《せっぱく》した状況《じょうきょう》を伝えます。校舎から裏山に「橋」をかけた場所を確認できるほか、被災した車両や実際に使われていた応急仮設住宅などを見学することができる展示館もあります。壁《かべ》1枚で仕切られた仮設住宅での暮らしを体感してください。

＊

ちょっとプラス

石巻駅からバスで約15分、徒歩30分ほどの距離《きょり》にある門脇・南浜地区には、宮城県内の被災地を紹介する21年開館の震災アーカイブ施設**みやぎ東日本大震災津波伝承館**（石巻南浜津波復興祈念《きねん》公園内）や、地元の団体が運営する同年開館の伝承交流施設**MEET《ミート》門脇**もあります。門脇小や復興祈念公園の一帯は家屋が密集し、多くの人々が暮らす街でした。施設に展示された写真や地域の模型を見て、ガイドの話を聞き、かつてのにぎわいを想像してください。

周辺は多数の死者を出し、行方不明の方も多くいる慰霊《いれい》・追悼《ついとう》のための空間です。震災当時、この地にいたら何ができたか、今ここで地震・津波におそわれたら、どう行動するか。そして、防災の都合でこの地に戻りたくても戻れない人がいること。自分なりに想像し、地面を踏《ふ》みしめながら歩きましょう。

＊

門脇・南浜地区から少し離《はな》れますが、地元紙・石巻日日《ひび》新聞社は、震災で社屋などが被災するなかで震災直後に手書きで6枚の壁新聞《かべしんぶん》を発行し、避難所などに掲出《けいしゅつ》したことで知られます。同社が12年から運営する**石巻ニューゼ**は、「ニュース」と「ミュゼ」（フランス語で博物館）を組み合わせた名称《めいしょう》で、「ニュース博物館」の意味。震災前の街の様子、復興の様子などを当時の紙面や写真、記者の振《ふ》り返りなどを通じて伝えています。

災害時に必要な情報をどう手に入れるか。音声通話もインターネットもつながらなかったら。スマートフォンの充電《じゅうでん》が切れたら。家族との連絡《れんらく》手段や集合場所はどうするか。不確かな情報に左右されないためには――。災害時の情報との向き合い方を学べます。

*

石巻から車や鉄道で30分ほどの女川町《おながわちょう》も津波の大きな被害にあいました。最大約15メートルの津波による死者・行方不明者は８００人以上。旧駅舎から約２００メートル内陸のかさ上げした土地に再建された女川駅前に立つと、海へと向かうゆるやかな斜面《しゃめん》に整備された商業施設**シーパルピア女川**などのにぎわいが視界に入ります。

海に面したメモリアルゾーンには、町の中心部をおそった津波で倒壊《とうかい》した**東日本大震災遺構　旧女川交番**（20年完工）を保存しています。鉄筋コンクリート造りの建物が津波で倒壊するのは、世界的に見てもめずらしい出来事です。海へと波が戻《もど》っていく「引き波」の威力《いりょく》で基礎《きそ》部分の杭《くい》が引き抜かれ、２階建ての建物が横倒しになりました。

石巻市震災遺構
大川小学校

◆【住所】宮城県石巻市釜《かま》谷《や》字《あざ》韮《にら》島《しま》94◆【電話】0225-24-6315◆【開館時間】午前9時～午後5時（併設する大川震災伝承館の最終入館は午後4時30分）◆【休館日】年中無休（大川震災伝承館は水曜日と年末年始）◆【入館料】無料

石巻の中心市街から車で数十分。石巻駅から鉄道を乗り継《つ》ぐと1時間余。北上川河口近くの石巻市立大川小学校は、全国に広く知られる悲劇が起きた場所です。全校児童108人のうち74人、教職員10人が津波の犠牲《ぎせい》となりました。

石巻市内の小中学校は多くが津波で浸水しましたが、学校管理下にあった児童・生徒の犠牲者は大川小が目立ちます。亡くなった児童23人の父母らは市と県を訴《うった》え、2019年に市などの落ち度を認める高裁判決が確定しました。

津波は川をさかのぼり、河口から奥深《おくふか》くまで押し寄せる――。いわゆる「河川津波」の危険性は、今でこそ防災の基本知識の一つになっています。

宮城・岩手を流れる北上川は震災当時、河口から約49キロ上流の登米市中田町上沼大泉地区、岩手との県境まで津波が達しました。河口から約12キロの地点でも津波の被害を受け、北上川河口南岸の河北地区と北岸の北上地区では計700人以上の犠牲者が出ました。河川の多くは、川の水が下流へと流れやすいように堤防《ていぼう》が整備され、津波の力を弱める障害物がない状態です。北上川は流路が直線的で、津波の力が上流にまで伝わりました。

＊

百聞は一見にしかず。さまざまな津波の被災地のなかでも、大川小周辺の地理的条件は、その地に立ち360度を見渡《みわた》さないと理解できない。ぼくはそんな感想を持ちました。

地震の揺《ゆ》れから数十分。大川小にも堤防を乗り越《こ》えて川から津波がやってきました。校外に避難を開始した教職員と児童、地域住民多数が津波に呑まれました。当時は家屋が密集しており、校庭から川は見えません。学校の敷地《しきち》は山に囲まれ、堤防沿いに上流か下流に避難するしかないのですが、高台が近くにない。校舎は2階建てですが、標高が高くない土地に建てられており、津波は2階の天井《てんじょう》まで達しました。

2021年に一般公開された大川小の遺構内部は見学者の立ち入りができませんが、校庭側から倒壊した渡《わた》り廊下《ろうか》などを見学することができます。犠牲者の慰霊・追悼の場であり、献花台《けんかだい》も設置されています。併設《へいせつ》された大川震災伝承館は、被災当日の証言のほか、学校周辺の集落の被災状況はどうだったか、震災前はどんな暮らしが営まれていたか、といった展示内容で一見の価値があります。

大川小と門脇小などをおそった地震・津波によく学び、どうすれば助かったのか、自分ならどうするか、周囲の人々とどう協力すればいいか、よく考え、今後の行動に結びつけることが大切です。

*

ちょっとプラス

宮城県内の津波被災地を歩くときに気になるのは、復旧・復興の現状です。古い防潮堤《ぼうちょうてい》（海岸堤防）を乗り越えて津波がおそった浸水区域の多くは、将来的な地震・津波のリスクも想定され、住民の生命を守るために新しい津波対策の工事が求められ、建築制限がかかりました。住宅や商店街、公共施設などが元通りには復旧できない制約の中で、防潮堤の建設や土地のかさ上げを選んだ集落もあれば、高台移転を選んだ地区もありました。

津波の被災地に新しい防潮堤をつくり、次の津波に備える。それも復旧・復興の一つのあり方でしょう。でも、その防潮堤の高さが10メートル近かったら――。

宮城県内の各地で進む防潮堤の工事は、2024年3月時点で全369カ所中365カ所、長さ233キロ中229キロが完成し、完成率は99%に達しています。県内の海岸線約830キロのうち3割近くを震災後にできた防潮堤が占める勘定《かんじょう》です。

三陸の海を毎日眺《なが》めながら暮らしてきたのは、漁師さんたちだけではないでしょう。津波で破壊された自然環境《かんきょう》をこれ以上、人の手で破壊していいのか。そうした声もありましたが、多くの地区で防災が優先されました。

例えば、大川小から車や路線バスで約10~15分の石巻市雄勝《おがつ》地区を歩くと高さ10メートル級の防潮堤が視界をふさぎます。住宅の約8割が全壊、約250人もの死者・行方不明者を出し、津波で大きな被害を受けた地区です。ただ、美しい漁村の景観が損なわれれば観光業にはダメージです。いま防潮堤の上には21年開業の**道の駅　硯上《けんじょう》の里おがつ**や20年開館の**雄勝　硯《すずり》伝統産業会館**が建ち、特産の硯づくりなどを学ぶことができます。

東北各地では、国が建設費を原則全額負担する集中復興期間（震災後5年間）のうちに防潮堤建設を決める動きが目立ちました。結果、防潮堤が何を守っているのか、よく分からない場所も目につきます。地域住民の合意形成はていねいに進められたのか。ほかに手はなかったのか。三陸沿岸を終日ドライブしながら考えるのですが、答えはなかなか出ません。

＊

土地のかさ上げや高台移転の例も見てみましょう。宮城県の北端・気仙沼市と石巻市の間に位置する南三陸町志津川地区《みなみさんりくちょうしづがわちく》は、大川小から北へ車で1時間足らず。高さ約10メートルもの規模で中心部の土地に大量の土砂を搬入《はんにゅう》し、地盤《じばん》を全体にかさ上げする一方で、町役場などの主要施設を高台に移転し、再開発する方針をとった地域の一つです。

大規模な土地のかさ上げ工事をほどこした地区は、もとの地形が分からないほどの変わりようです。ただ、20年開園の**南三陸町震災復興祈念公園**内にある**震災遺構　旧防災対策庁舎**や近くの**高野会館**を見ると、かろうじて震災前の地面の高さが分かります。部分的に土地のかさ上げをせずにおき、震災まえの状態で建物跡を保存しているためです。鉄骨の骨組みだけが残る旧防災対策庁舎は、3階建ての高さをゆうに超《こ》える津波がおそい、多くの職員が命を落としました。なかには防災無線で最後まで避難を呼びかける職員もいたといいます。土地のかさ上げをしていない低地に残る高野会館は、主に結婚《けっこん》式場などとして長年親しまれてきたビルです。震災当時は利用者や避難者３００人以上の命を救いました。

高野会館の前に立つと盛り土の存在感に圧倒されます。土地のかさ上げにいかに大量の土砂が必要だったか、本当に必要な工事だったのか、などと考えさせられます。

志津川湾にそそぐ八幡川《はちまんがわ》にかかる公園内の橋を渡れば、旅行客でにぎわう**南三陸さんさん商店街**です。震災直後の２０１２年に仮設の商店街として出発し、早くから地域の復興を象徴《しょうちょう》するよりどころとなってきた場所です。地域の住民に人気の飲食店や水産加工品、お菓子《かし》などの店舗《てんぽ》が軒《のき》を連ねています。木造のデザインが目立つ**南三陸町東日本大震災伝承館　南三陸３１１メモリアル**も22年に開館しています。

志津川湾に面した宿泊《しゅくはく》施設、**南三陸ホテル観洋《かんよう》**も息の長い伝承活動を続けています。ホテルから徒歩10分ほどの丘《おか》の上に、海と山、市街地を見渡《みわた》すことができる**海の見える命の森**を16年に整備・管理しており、震災と津波の体験を人と自然とのかかわりの中で学ぶことができます。

リアス・アーク美術館

◆【住所】宮城県気仙沼市赤岩《あかいわ》牧沢《まきさわ》138-5◆【電話】0226-24-1611◆【開館時間】午前9時30分～午後5時（最終入館は午後4時30分）◆【休館日】月曜日・火曜日、祝日の翌日（土日を除く）、年末年始およびメンテナンス休館◆【常設展観覧料】一般《いっぱん》700円、大学・短大・専門学生600円、高校生500円、小中学生350円、乳幼児無料（企画展《きかくてん》は展覧会ごとに設定）

宮城・岩手両県などの沿岸部は「三陸海岸」と呼ばれます。三陸のように複雑に入り組んだ海沿いの地形を「リアス海岸」と呼ぶと学校で習った人も多いでしょう。大小の入り江《え》は波も穏《おだ》やかで、湾《わん》の奥には数少ない平地に港湾や集落が点在し、特産のカキやワカメの養殖《ようしょく》にも適しています。親潮と黒潮がぶつかる三陸沖は、日本を代表する豊かな漁場です。

ただ、ひとたび地震・津波に見舞われると、リアス海岸では深刻な被害が生じます。狭《せま》い湾に津波が押し寄せると、津波の力が湾の奥に集中し、平地よりも高い波となるためです。東日本大震災では、津波が陸地を駆《か》け上がる「遡上高《そじょうこう》」で見ると最大約40

メートル、13階建てビルに相当する高さまで波が達しました。最も高い場所（女川町の沖合14キロの無人島・笠貝島《かさがいじま》）では43・3メートルを記録したという調査もあります。

宮城県の東北端に位置する気仙沼市内には、最大20メートル超の津波が到達《とうたつ》し、当時の人口7万人余りの街で1400人以上の死者・行方不明者が出ました。

2024年に開館30周年を迎《むか》えたリアス・アーク美術館は気仙沼市内の高台にあり、「東日本大震災の記録と津波の災害史」と銘《めい》打った常設展を公開しています。アークは「方舟《はこぶね》」の意味。震災以来、学芸員などが取材した記録写真や「被災物」を収集して展示しています。過去の津波災害の歴史をひもとき、地域文化への影響《えいきょう》などを多角的に学べる施設です。

震災直後に撮影《さつえい》された街の写真は被害の大きさを伝えます。津波におそわれた直後の浸水エリアは無数の被災した物品（被災物）が積み上がり、ヘドロや重油などの悪臭《あくしゅう》がただよい、おびただしい粉じんとハエが空中を舞う劣悪《れつあく》な環境だったといいます。

その日まで使っていた炊飯器《すいはんき》や電子レンジなどの家電製品。子どもが大事にしてきたゲーム機などのおもちゃ。そして家の大黒柱——。どれもその日まで生身の人間の暮らしが営まれていたあかしです。美術館が記録・収集してきた被災地の現場写真、「被災物」、歴

常設展「東日本大震災の記録と津波の災害史」

史資料などは約５００点。展示に接すると、津波による被害は単なる物理的な災害ではなく、地域特有の生活や文化的要因により被害規模などが左右される人的災害だと分かります。三陸の海沿いの集落には古い家屋に暮らす高齢者が多く、海の近くで働く人、漁業や水産業の従事者も多いので、津波の被害が大きくなるのです。

　写真や「被災物」などの「記録」は、被災した人々の「記《き》憶《おく》」を呼び起こすための手がかりであり、美術館は震災の記録と記憶について話し合う場でもあります。玄関《げんかん》や風呂場《ふろば》のタイルの破片など多種多様な「被災物」は、決して「価値のない、つまらない瓦礫《がれき》」ではない。津波により破壊され、人々の手から奪《うば》われた大切な家屋や家財道具であり、一人ひとりの大切な人生の記憶です。収集場所や収集した日時、状況などを記したカードが補助資料として添《そ》えられており、震災前の人々の暮らしを感じさせます。

*

ちょっとプラス

宮城県内の震災アーカイブ施設は、学校の遺構を利用する事例が目立ちます。もともと公共施設なので、地元関係者の合意が得られれば民間の保有施設に比べて保存しやすいこと、地域の多くの人が通った経験があり、避難所に指定されるなど地域の人々の拠点《きょてん》だったことなどが理由です。

宮城県気仙沼向洋《こうよう》高校の旧校舎を再利用した19年開館の**気仙沼市東日本大震災遺構・伝承館**もそうした学校の遺構の一つで、中心市街から南の方角、リアス・アーク美術館から車で約15分ほど。変化に富む地形と自然に恵《めぐ》まれた気仙沼市南部の階上《はしかみ》地区に位置します。海から約500メートル。4階建て校舎の遺構に伝承館を併設しています。校舎は最上階の4階まで浸水したものの、高校1~2年生200人余が校舎を出て標高が高い寺院へ、次いで陸前階上駅へ、さらに階上中学校へと2次避難、3次避難をするなどして人的被害をまぬがれました。その経緯《けいい》を知ることができます。

震災遺構　仙台市立 荒《あら》浜《はま》小学校

◆【住所】宮城県仙台市若林区荒浜字新堀端《しんぼりはた》32-1◆【電話】022-355-8517◆【開館時間】午前9時30分～午後4時（7～8月は午後5時まで）◆【休館日】月曜日、第4木曜日（祝日の場合は開館）、年末年始◆【入館料】無料

仙台市を中心とする仙台平野は農業が盛んですが、三陸のリアス海岸と並んで津波による被害が深刻なエリアでした。あの日、見渡す限りの平地に高さ約10メートルの津波が押し寄せ、海岸沿いの松林をなぎ倒しながら防潮堤を超え、広大な面積の田畑や家屋多数が浸水しました。航空機が多数並ぶ仙台空港も例外ではありませんでした。上空のヘリが撮影した中継《ちゅうけい》映像を見たことがある人もいるでしょう。

4階建て校舎の荒浜小学校は、仙台駅から東へ10キロ余り。車で30分、地下鉄や路線バスを乗り継いで1時間足らずの海沿いにあります。周囲の地区には震災当時、約800世帯2200人が暮らしていました。

3・11当日の荒浜小には児童や教職員、地域の住民など320人が避難し、地震発生から27時間後に全員が救出されました。17年開館の施設内は、校舎2階の床上《ゆかうえ》40センチまで浸水した跡が残るほか、当時の校長や町内会長へのインタビューなど約17分の映像を上映しています。校舎4階には、荒浜地区の歴史や文化、小学校の思い出、地域の模型などが展示され、震災前のようすをしのぶことができます。

校舎屋上からは360度の眺望《ちょうぼう》が得られ、さえぎるものがない平野部を巨大津波がおそう恐《おそ》ろしさを想像することができます。想像以上の高さの津波が、陸地の奥深くまでやってくる三陸のリアス海岸に対し、仙台平野は、見渡す限りの平地に「津波がやってくる」という想像力がなかなか働かない。三陸なら近くの山や高台に歩いて向かえばいい。でも、津波の高さよりも高い構築物がない平地ではどうしたらいいでしょうか。

津波だけでなく水害や土砂災害に対しては、屋内での「垂直避難」が効果的だと言われますが、津波の威力《いりょく》が大きければ木造家屋はひとたまりもありません。「水平避難」をしようとしても、行けども行けども頑丈《がんじょう》なビルや山は見当たらない。今は「避難の丘」が整備されていますが、丘がなかった震災当時、いざこの場所で地震・津波に直面したらどう避難すればよかったか、考え込むところから始めるしかなさそうです。

ちょっとプラス

＊

荒浜地区には、津波で流された住宅のコンクリート基礎《きそ》部分が震災遺構として残っています（**震災遺構　仙台市荒浜地区住宅基礎**）。津波により浸食された地面を見ると、津波の威力を体感できます。

仙台市若林区内、地下鉄東西線荒井駅直結の**せんだい3・11メモリアル交流館**は16年に開館。津波の被害を受けた市内東部沿岸地域への「玄関口」になる施設です。来館者がふせんに書いた沿岸部の思い出をもとに、仙台在住のイラストレーター、佐藤《さとう》ジュンコさんが描《か》いたかわいらしいマップが印象に残ります。

せんだいメディアテーク（仙台市青葉区）は美術や映像文化の発信拠点で、幅広《はばひろ》い人々が自由に情報をやりとりするための公共施設です。同施設が運営する「3がつ11にちをわすれないためにセンター」（わすれン！）は市民や専門家、スタッフが協力しながら復旧・復興の過程を記録し続けています。

仙台市の南、名取・岩沼市内にある**仙台空港**のターミナルビルも、利用者や地域住民、空港スタッフなど約1700人が一時取り残された震災当時を伝えています。高さ約3メートルの津波到達点を示す表示などにより、国内唯一の津波被災空港の当時をしのべます。

名取駅から路線バスで約20分の名取市閖上《ゆりあげ》地区も、仙台平野の津波被害とその後の復興を象徴する場所です。県内の沿岸部で唯一の市街化区域で住宅密集地だったため、この地区だけで死者・行方不明者は約800人。高齢者《こうれいしゃ》を中心に多数の犠牲者が出ました。災害対策本部の初動や避難行動の混乱、防災行政無線の不具合など、被害を拡大する要因が後に検証・報告されています。

今では名取川河口や漁港周辺の施設整備が進み、震災後にいち早く再開した**ゆりあげ港朝市**　**メイプル館**や19年開業の**かわまちてらす閖上**は仙台近郊における人気の行楽地となっています。20年開館の**名取市震災復興伝承館**、19年オープンの**名取市震災メモリアル公園**や**みちのく潮風トレイル・名取トレイルセンター**などのほか、民間伝承施設の**津波復興祈念資料館**　**閖上の記憶**（12年開館）も体験を語り継ぐ活動を続けています。

県南部にある20年開館の**山元町震災遺構**　**中浜小学校**でも、児童や教職員など90人が命を永らえました。2階建て校舎内に足を踏み入れて津波の痕跡《こんせき》を確認できるほか、子どもたちが厳しい寒さと余震の中で一夜を明かした屋根裏の倉庫などを見学できます。津波の高さは事前に予想できません。もっと標高の高い避難先まで移動するあいだに津波に襲《おそ》われたら助からない。避難時の判断の難しさが分かります。

ひと

絵や物語が伝える「大津波は来る」

山内宏泰《やまうちひろやす》さん

（リアス・アーク美術館館長）

1971年、宮城県石巻市生まれ。宮城教育大学に学び、リアス・アーク美術館の学芸員に。「東日本大震災の記録と津波の災害史」企画担当。美術家としても活動し、多数の舞台《ぶたい》で舞台美術や衣装に参加。気仙沼市在住。

地震・津波は東北の海沿いの地域に大きな爪《つめ》あとを残しました。なかでも三陸の暮らしは「津波のある暮らし」。宮城編では、三陸の生活文化を伝えてきたリアス・アーク美術館館長の山内宏泰さんに、いま取り組むべき課題について聞きました。

＊

——なぜ美術館が「災害伝承」というテーマに取り組んだのでしょうか。

美術館の展示ですから、いわゆる科学的アプローチによる災害伝承ではなく、被災者の主観的な記憶を、それを知らない第三者であっても、リアリティーを持って共有・共感できるような、芸術表現的アプローチによる災害伝承を試みています。

3・11以前、三陸の地震津波による災害はおもに地震・津波工学的な問題でした。過去に起きた地震津波の跡や古文書の記録、あるいは計算で導かれた数値を根拠として研究する。過去の記録が残る地震津波をもとに将来の被害を想定してきたので、3・11は「想定外」であり「未曽有《みぞう》」の出来事とされました。

でも、当館副館長や東北大学教授も務めた川島秀一《かわしましゅういち》さんのような漁村文化に詳しい民俗学者の視点なら記録にない大津波も視野に入る。記録はないが、この地域には大津波が来る。文系の発想では、大津波は約40年周期で必ず気仙沼をおそうのです。

気仙沼市の場合、自治体の合併が明治三陸地震津波（1896年）、昭和三陸地震津波（1933年）、チリ地震津波（60年）の伝承活動を阻害《そがい》しました。

気仙沼市内でも、周辺部の唐桑《からくわ》半島（旧唐桑町、2006年合併）や本吉《もとよし》地区（旧本吉町、09年合併）、1955年合併の気仙沼大島（旧大島村）や階上地区（旧階上村）などでは津波の恐ろしさが伝えられていました。でも、気仙沼の中心市街では震災前、防潮堤などの対策を講じたから大丈夫との見方が流布し、沿岸部の開発が進められました。

——海沿いの土地利用や防災対策がもたらした「人災」という面があるわけですね。

震災前の2006年に明治の津波をテーマにした展示を企画しましたが、入館者数は低迷しました。明治・大正期に活躍《かつやく》した山本松谷《やまもとしょうこく》という「報道画家」がいます。彼が雑誌に描いた明治の津波の絵を見ると、訓練を受けたプロの画家が適切に省略・抽象化した絵だからこそ伝わるものがあります。

物語化により伝わる効果もある。新海誠監督のアニメ映画（94ページ参照）や気仙沼が舞台のNHK連続テレビ小説「おかえりモネ」（2021年）。古典的小説や絵本、長く続くお祭りもそうした「媒体《ばいたい》」の一つ。表現者は恐れずに取り組んでほしい。

震災を直接経験した語り部もやがて世を去ります。つらい体験を伝えたいのではない。つらい思いを二度と繰り返さないために、災害に備える語り合いが必要です。

——わたしたち年長世代にできることは何でしょうか。

学校で歴史を教わるときは、「なぜ今のような状況になっているのか」という肝心《かんじん》のことを教わる機会がない。災害伝承も「今ここにいる自分」を起点に過去へとさかのぼる伝え方が必要です。小学生に「いま12歳《さい》なら次の津波まで30年未満。30年後は40歳。親になっている。そのときどうする？」と話すと目の色が変わります。

岩手編

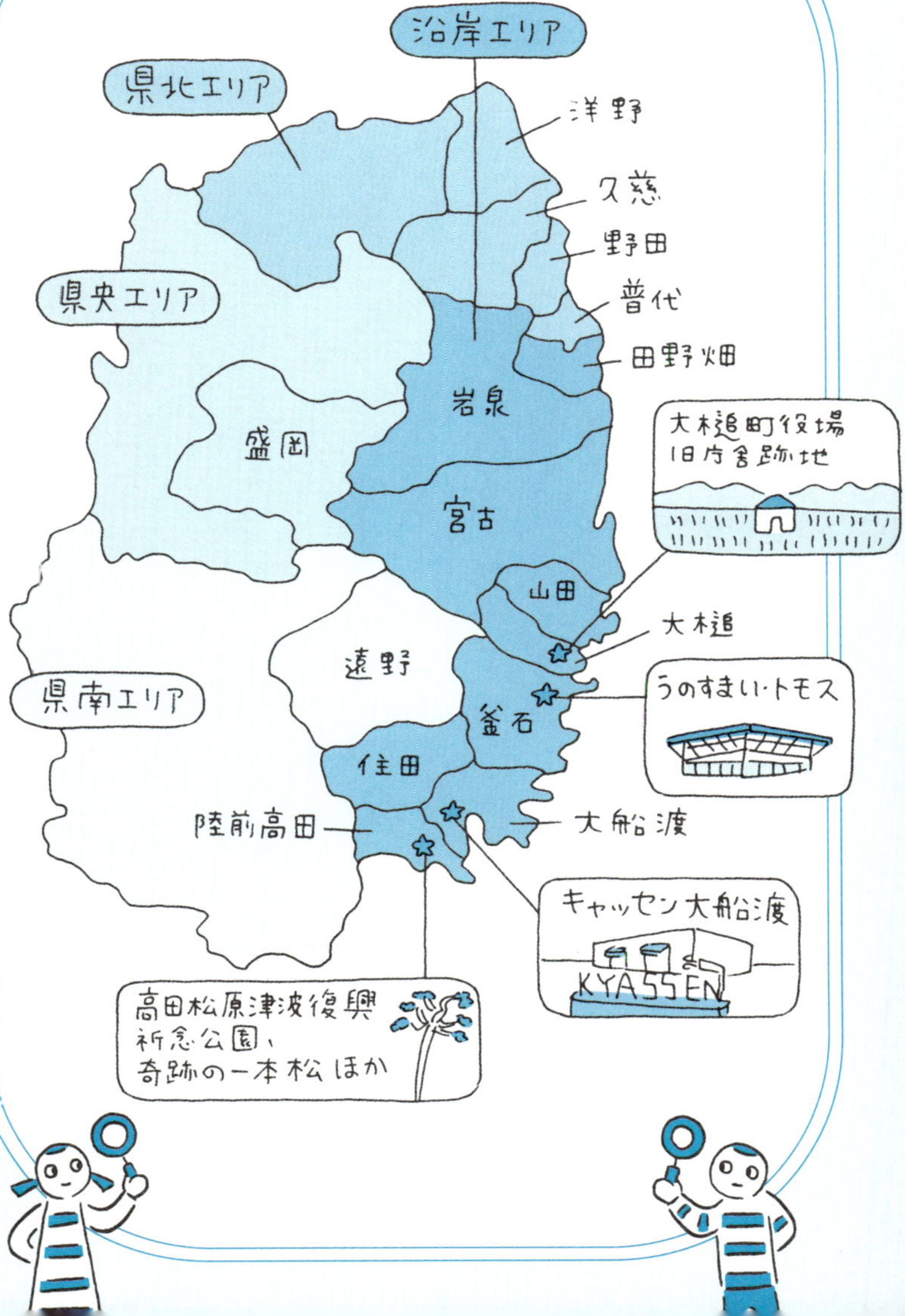

沿岸エリア
県北エリア
県央エリア
県南エリア
洋野
久慈
野田
普代
田野畑
岩泉
盛岡
宮古
山田
大槌町役場
旧庁舎跡地
大槌
うのすまい・トモス
遠野
釜石
住田
陸前高田
大船渡
キャッセン大船渡
KYASSEN
高田松原津波復興
祈念公園、
奇跡の一本松 ほか

岩手県は海の幸に恵《めぐ》まれ、古くから奥州藤原《おうしゅうふじわら》氏の文化などが栄えてきました。県庁がある中心都市・盛岡市や古都・平泉《ひらいずみ》（ユネスコ世界文化遺産）のほか、東北新幹線が南北に走る内陸部を中心に発展。これに対して、三陸沖の漁場に面し、漁業が盛んな沿岸部は、東日本大震災《だいしんさい》の被害《ひがい》からの復興途上《とじょう》にあります。

県の人口は約１１４万人（２０２４年11月推計）。３・11当時は約１３３万人。このうち津波《つなみ》の被害を受けた沿岸12市町村の人口は現在、21万人余。震災後に６万人超《ちょう》減り、少子高齢化《しょうしこうれいか》や地域外への転出など、人口減少の流れが続いています。

岩手の沿岸部は過去に何度も津波の被害を受け、その歴史を語り継《つ》いできました。１８９６（明治29）年の明治三陸地震津波、１９３３（昭和８）年の昭和三陸地震津波、１９６０（昭和35）年のチリ地震津波。こうした災害と並んで、３・11の人的・物的被害は深刻でした。死者４６００人超、行方不明者１１００人超。家屋の全半壊《ぜんはんかい》も２万６千棟《とう》を超《こ》えました。

沿岸部の自治体は宮城県境から陸前高田《りくぜんたかた》市、大船渡《おおふなと》市、釜石《かまいし》市、大槌《おおつち》町、山田町、宮古市、岩泉町、田野畑村、普代《ふだい》村、野田村、久慈《くじ》市、洋野《ひろの》町。北は青森県です。

この章では、岩手県内の代表的な震災アーカイブ施設《しせつ》などを四つ、紹介《しょうかい》します。

うのすまい・トモス いのちをつなぐ未来館

◆【住所】岩手県釜石市鵜《うの》住居《すまい》町4丁目901番2◆【電話】0193-27-5666◆【開館時間】午前9時30分～午後5時30分（11～2月は午後5時閉館）◆【休館日】水曜日、年末年始◆【入館料】無料

東北地方の太平洋岸を北へ向かうと、この本で紹介している福島県や宮城県を経て、岩手県に入ります。

車なら常磐《じょうばん》自動車道や東北自動車道を走り、やがて三陸自動車道（三陸沿岸道路）へ。宮城・岩手の沿岸部に入ると、次第にトンネル、またトンネルの片側１車線の道になります。複雑な地形のリアス海岸沿いなので平地は少なく、トンネルを抜《ぬ》けても海が見える場所は限られます。ただ、カーナビやスマートフォンなどの位置情報で現在地を見れば、確かに海の近くを走っていることが分かります。

青森県八戸《はちのへ》市まで被災地を南北に結ぶ三陸道を含《ふく》む三陸沿岸道路（全長３５９キ

ロ）が全通したのは2021年末のこと。通行料は無料で、海沿いを並行して走る国道45号とともに三陸の人々の暮らしを支え、急病や災害時に命を守る道路です。復旧・復興の工事に携《たずさ》わり大量の土砂を運ぶダンプカー、海産物や水産加工品を運ぶトラック、ボランティアの人々や観光客を乗せて走る長距離《ちょうきょり》バスなどが行き交ってきた、命と暮らしをつなぐライフラインです。

＊

東日本大震災による被害は、岩手県内でも深刻でした。死者・行方不明者5700人超、家屋の全半壊約2万6千棟は、ほとんどが津波による被害です。

なかでも釜石市は、死者・行方不明者が計1000人を超え、全壊した住宅だけで3千軒《けん》近くに達しました。市内でも特に被害が大きかったのが市北部の鵜住居《うのすまい》地区です。リアス海岸に何百とある入《い》り江《え》の一つで、釜石の中心市街から北方に位置します。震災による死者・行方不明者はこの地区だけで600人近く。住民の約1割が犠牲《ぎせい》となり、釜石市内の犠牲者のおよそ6割、岩手県内の約1割を占《し》めるほどの被害を受けました。

2019年開業の「うのすまい・トモス」には、いのちをつなぐ未来館、釜石祈《いの》りのパーク、鵜《う》の郷《さと》交流館などが整備されています。いのちをつなぐ未来館は震災伝承と防災学習のための施設で、釜石祈りのパークは釜石市内の犠牲者の追悼《ついとう》施設、鵜の郷交流館は三陸鉄道鵜住居駅に併設《へいせつ》された商業施設です。

特に、いのちをつなぐ未来館は、実際に起きた事例をもとに津波からの避難《ひなん》を学ぶ場として貴重です。多数の命が救われた「釜石の奇跡《きせき》」、逆に多数の命が失われた「釜石の悲劇」とも呼ばれた複数の事例を検証しており、実際に起きた「釜石の出来事」の全体像を学ぶことができます。

地区内の鵜住居小学校と釜石東中学校にいた児童・生徒約570人は震災当時、どこへどう避難するかという選択《せんたく》に迫《せま》られました。

余震の揺《ゆ》れが続く中、大津波の可能性を伝える特別警報が発令されました。小学校の校舎3階に避難しよう。いや、3階を超える高さの津波が来るかもしれない。途中《とちゅう》で合流した保育園児らの手を取り、震災前に決められていた避難先へと向かいますが、それでも安全とは言えないのでは、という声が上がりました。さらに高台にある避難先へ。もっと高い峠《とうげ》へ。互《たが》いに励《はげ》まし合いながら計約1・6キロの距離を避難しました。結果、学校管理下にいた生徒は全員無事。宮城編でも紹介したような「率先避難」や2次避難、3次避難が功を奏した出来事でした。

うすのまい・トモス全景

こうした「奇跡」の一方で、「悲劇」も同じ鵜住居地区で起きました。住民ら約200人が避難した鵜住居地区防災センターは2階の天井近くまで津波が押《お》し寄せ、160人以上が犠牲になりました。生存者は30人余だったといいます。

なぜ「防災」と名がつくセンターで多数の犠牲者が出たのか。いのちをつなぐ未来館の展示や調査委員会報告書は、複数の要因を挙げます。第一に名称《めいしょう》の問題です。津波から避難するなどの一時的な「避難場所」と中長期の避難生活に用いる「避難所」は違《ちが》う、という認識が必要でした。第二に、避難訓練では実際の避難と同じように行動すべきだったこと。津波から身を守る本来の避難先は、このセンターではなく、近くの高台でした。

センター跡地《あとち》に整備された釜石祈りのパークは、釜石市内の犠牲者約1千人の名前を刻む慰霊《いれい》・追悼のための施設です。地区をおそった津波の高さ約11メートルを示すモニュメント、センターの遺物の一部などを目にすることができます。

岩手や宮城・福島の震災アーカイブ施設や震災遺構の多くは、ぼくが見たところ、多くの命が助かった成功体験を伝える施設がほとんどです。多くの命が失われた悲劇を詳《くわ》しく検証し、伝える施設は数少ない印象があります。

防災教育のおかげで高台へと避難を重ねた小中学生が無事だった事例は受け入れやすい。でも、多数の人命が失われた事実を直視することは難しい。関係者ならなおさらでしょう。それでも、厳しい現実を受けとめながら事実を突《つ》き止め、議論を重ねて貴重な展示を実現した関係者の思いをムダにしてはならない。誰《だれ》かの責任を追及《ついきゅう》することよりも、次の災害に向けた検証と学習の機会にすることが重要だと、ぼくは思います。

＊

ちょっとプラス

JR・三陸鉄道の釜石駅から徒歩5分ほどの**釜石市郷土資料館**には津波・震災の体験を伝える展示コーナーがあります。

市南部の小高い丘《おか》の上に建つ**釜石市立鉄の歴史館**からは釜石湾や釜石大観音を一望でき、製鉄などの鉄鋼業を中心に栄えた街の歴史を伝えています。館内の展示は、釜石港を守るために約1200億円もの費用と約30年の歳月《さいげつ》をかけて築かれた湾口防波堤《わんこうぼうはてい》（2008年完成）が津波で破壊されたことにも触れ《ふ》ています。全長約2千メートル、最も深い場所で水深60メートル以上。耐震《たいしん》設計の頑丈《がんじょう》な防波堤が、3・11による津波の威力《いりょく》を弱めたのは間違《まちが》いない。では、今後の津波対策をどう考えたらいいでしょうか。やはり、防波堤のようなハードと避難訓練のようなソフトの両面で考える必要があるということでしょう。新しい湾口防波堤は約650億円をかけて復旧工事が進み、18年に完成しています。なお、市内の山中にある**橋野鉄鉱山**は、ユネスコ世界文化遺産「明治日本の産業革命遺産」の構成資産の一つです。

＊

震災の体験を直接伝える施設や遺構ではないけれど、震災の体験と記憶《きおく》の継承《けいしょう》を考えるきっかけになりそうな場所も近くにあります。

釜石市鵜住居地区から北へ、宮古市へと向かう途中にある山田町には、新海誠監督《しんかいまことかんとく》のアニメ映画「すずめの戸締《とじ》まり」（2022年）に登場する駅のモデルとなった「聖地」、**三**

陸鉄道織笠駅《おりかさ》があります。旧ＪＲ山田線の駅舎が津波で流失。19年に三陸鉄道の駅として移転・再開しました。ネタバレになるので詳《くわ》しくは触れませんが、「すずめの戸締まり」は、同じ新海監督の作品「君の名は。」（16年）や「天気の子」（19年）に続く「災害3部作」の3作目と見ることもできそうです。山田町内の水門や防潮堤もこの作品の題材となっており、織笠駅から徒歩10分余の山田湾展望広場には、この映画の主要モチーフのひとつ、「扉《とびら》」のモニュメントが設置されています。

3・11の経験を意識しながらこの3本のアニメ映画を観ると、大きな災害をどう記憶し、継承したらいいか、わたしたちは災害後をどう生きるのか、といった重要なテーマに取り組んでいるように思えます。

ちなみに、宮城県内にも「すずめの戸締まり」の舞台《ぶたい》となった「聖地」があります。21年に営業を再開した**道の駅　大谷海岸**（気仙沼《けせんぬま》市）です。こちらも岩手県内を訪れた行き帰りに訪れてみてください。

大槌町役場旧庁舎跡地《あとち》

◆【住所】岩手県大槌町新町1-1◆【電話】なし◆【開館時間】なし◆【休館日】なし◆【入館料】なし

地震と津波の体験や記憶をどう後世に伝えるか。被害を伝える遺構を保存すべきか、それとも撤去《てっきょ》すべきか。釜石市の北隣・大槌町で起きた議論は、全国的な注目を集めました。

津波だけでなく津波火災にも見舞《みま》われた大槌町の被害は大きく、震災による死者・行方不明者は１３００人近くに達しました。人口に対する犠牲者の割合は約１割と、県内の陸前高田市や宮城県女川《おながわ》町と並ぶ高い水準です。

津波におそわれた町の中心部、旧国道45号沿いに立地していた大槌町役場の旧庁舎は２階建て。地震の揺れが町内をおそった直後は、庁舎の倒壊《とうかい》を恐《おそ》れて屋外に災害対策本部が置かれており、多くの職員が集まっていました。ところが、そこへ2階天井近くに達する高さの津波が押し寄せました。全職員130人余りのうち、町長（当時）や課長級などの幹部職員を含む約40人の人々が命を落としました。町の行政機能は多くが失われ、町内は道路の寸断で何日も孤立《こりつ》したといいます。

その後、町内の復旧・復興が進むなかで、旧庁舎を保存するか撤去するか、という問題をめぐる議論が続きました。津波のつらい記憶がよみがえるので見たくない。壊してこそ復興が進む——。こうした解体を求める声もあれば、次のように保存を求める主張もありました。震災遺構として世界的価値がある遺産だ。犠牲者は解体を望んでいるのか——。解体か保存かをすぐに判断せずに後世にゆだねてはどうか、という意見もありました。

2015年の町長選では、一部保存の方針を示した前職に対し、旧庁舎解体を掲《かか》げた現町長が当選を果たしました。町長は震災当時、町の総務課長を務めており、上司や同僚《どうりょう》、部下の多くを津波で失っていました。町は18年に旧庁舎を解体・撤去する方針を決定。翌19年に建物は解体・撤去されました。町は震災の犠牲者をしのぶ追悼施設を別の場所に整備していますが、資金不足などもあり、24年の時点で跡地利用の議論は中断しています。

旧庁舎の前には親子3体のお地蔵さんが設置されていましたが、整備中の「大槌町鎮魂《ちんこん》

2011年3月17日の大槌町役場（「大槌町震災アーカイブ　つむぎ」より）

の森」へ移設が完了しました。

旧庁舎の跡地一帯は、土砂を運び入れて土地のかさ上げをした周辺の土地よりも低く、震災当時の高さのまま。クローバーなどの草むらにおおわれており、この地が悲劇の舞台だったこと、そして町民を二分する議論が重ねられた場所だったと気づく手がかりは、この間の経緯《けいい》を記した看板ぐらいです。これでいいのか。自分が大槌町民ならどう考えるか。どのように意見を交わし、今後の土地利用の方針を決めるか。ぜひ現地を訪れて考えを深めてください。

なお、旧庁舎跡地の周辺では、被災した当時のようすや津波の高さをスマートフォンの画面に表示するサービスが提供されています。ＡＲ（拡張現実）の技術を用いたアプリをダウンロードし、跡地にスマホをかざすと、震災直後の建物の被災状況や実際に押し寄せた津波の高さなどが表示されます。後述する観光船「はまゆり」が乗り上げた民宿跡地でも同様のサービスが利用できます。

＊

ちょっとプラス

大槌町役場旧庁舎跡地の近くに２０１８年に開館した**大槌町文化交流センターおしゃっち**は、三陸鉄道大槌駅から徒歩５分ほど。町立図書館や多目的ホールに併設された２階の震災伝承展示室は、震災当時の町内の様子を写真や映像で伝えます。津波による犠牲者の生前のようすや町内の被災状況《じょうきょう》をまとめた展示もあります。愛称「おしゃっち」は大槌の中心市街地を指す「御社地（おしゃち）」をもじった呼び名です。

大槌町内では、２階建て民宿の屋根の上に乗り上げた釜石市所有の**観光船「はまゆり」**（全長約28メートル）も、保存か撤去かの選択を迫られました。メンテナンスのために入った大槌町のドックで津波に流され、約10メートルの高さの屋根に漂着《ひょうちゃく》したもので、視覚的なインパクトが大きいことなどから保存を求める声がありました。ただ、余震による被害なども懸念《けねん》され、２０１１年中に解体されています。宮城県気仙沼市でも海から約７５

0メートル内陸まで流れ着いた**大型漁船「第18共徳丸」**（全長約60メートル）の解体・撤去が13年に決まりました。

それぞれ保存や復元などの道が模索《もさく》され、寄付を集める動きなどもありましたが、実際に保存に向けて動き出すような住民の合意形成は難しかったようです。

残すか、否か。問題は3・11の被災地に限りません。例えば広島や長崎も、原爆《げんばく》投下による被害を伝える遺構を保存するかで議論を重ねてきた歴史を持ちます。広島の原爆ドームは、今でこそユネスコ世界文化遺産に登録され、世界的な観光地になっていますが、解体・撤去を求める声もあり、広島市議会が保存を決めたのは原爆投下から21年後の1966（昭和41）年のことです。一方、長崎の爆心地近くに立ち、原爆投下後も建物の一部が残っていた浦上天主堂《うらかみてんしゅどう》は原爆投下から13年後の58年に解体・撤去され、後に再建されています。広島や長崎では近年も原爆投下により破壊された遺構などが見つかり、そのつど保存すべきかどうかの議論が重ねられています。

＊

紙幅《しふく》の都合で、岩手県の沿岸部北部の震災アーカイブ施設や震災遺構は詳しく触れません。ただ、釜石市や大槌町以北の沿岸部北部にも一見の価値がある施設が多数あります。

宮古市北部の田老《たろう》地区は、過去にも津波の被害をたびたび受けてきました。明治三陸地震津波（1896年）では1800人以上、昭和三陸地震津波（1933年）でも900人以上が犠牲に。そこで、町を守る全長約2・4キロ、高さ約10メートル、後に「万里《ばんり》の長城《ちょうじょう》」とも呼ばれた**田老防潮堤**を建設し、津波の避難訓練を繰《く》り返すなど津波対策に努めてきました。ところが、震災の津波はその防潮堤を越《こ》えて町をおそいました。

3・11の大津波による田老地区の死者・行方不明者は180人以上。**津波遺構 たろう観光ホテル**は6階建てのホテルの4階まで浸水《しんすい》しました。特に1~2階が大きく破壊された様子を保存しており、津波の威力を伝えます。道の駅たろうに併設された観光案内所、**たろう潮里ステーション**のガイド付きツアー「学ぶ防災」に申し込《こ》むと、ガイドの説明を受けながら、長年町を津波から守ってくれた古いX字形の防潮堤、高さ約15メートル近くの新しい防潮堤、ホテル跡地などを歩き、震災当時の津波の映像などを見ることができます。

田老地区を含《ふく》む宮古市内の死者・行方不明者は500人以上。18年開館で、JR宮古駅直結、宮古市役所などが入居する**イーストピアみやこ**内の**市民交流センター**にも、災害や復興の歩みを紹介する防災プラザが設けられています。

宮古市北部の**震災メモリアルパーク中《なか》の浜《はま》**（14年開園）、田野畑村の**震災遺構　明戸《あけど》海岸防潮堤**なども、海岸線を直撃《ちょくげき》した津波の威力を伝えます。田野畑村には、津波で流失した三陸鉄道の旧島越《しまのこし》駅（「ひと・望月正彦さん」、116ページ参照）跡地を整備した**島越ふれあい公園**のほか、**羅賀《らが》ふれあい公園**内にある明治、昭和、3・11の犠牲者をいたむ慰霊碑《いれいひ》や津波伝承の碑、重さ約20トンと推定される「羅賀の津波石」なども目を引きます。

三陸に暮らしたわたしたちのご先祖様たちは、たびたび地震や津波の被害を受けてきました。でもそのたび、立ち上がってきました。そして、写真や映像などの記録手段がない時代に、ずっと後の世の子孫たちに津波の危険を伝えようとしてきました。そうした思いを受け止め、後世に語り継《つ》ぐのは、わたしたちです。

キャッセン大船渡

◆【住所】岩手県大船渡市大船渡町字野々田12-33◆【電話】0192-22-7910◆【開館時間】施設・店舗《てんぽ》による◆【休業日】施設・店舗による◆【入館料】なし

津波の大きな被害を受けた岩手の沿岸部。10年以上が経っても、震災のダメージからの回復が進んでいないように思えるかもしれませんが、そこかしこに復興の足がかりを見いだすことができます。

北は釜石市、南は陸前高田市にはさまれ、計400人を超える死者・行方不明者が出た大船渡市の中心市街も一例です。BRT大船渡駅や内陸の隣駅・盛《さかり》駅を含む中心市街は津波に流されましたが、近年は新たな街づくりの動きが進んでいます。そこで、防災学習を目的とした震災アーカイブ施設や震災遺構ではありませんが、キャッセン大船渡周辺を大規模な「まちなか」復興の代表例として紹介します。

津波で被災した市街地をどう再生するか。まず、防潮堤の整備など防災の機能をもたせる。そのうえで商業施設の集積や住民の定住をどう進めるか。主要道路や鉄道網《てつどうもう》などの公共交通機関とどう連携《れんけい》するか。思い当たるだけでも、いくつものハードルがあります。

原発事故による長期避難を経て、住民の帰還《きかん》を進めている福島県内では、主に公設の商業施設を整備する方法が採用されています。国や自治体がコンパクトな施設や地区を用意し、そこに個々の店舗が入居するかたちが主流です。

これに対し、岩手・宮城両県内では津波で被災した中心市街を区画整理し、民間資本を核《かく》に「まちなか」の繁華街《はんかがい》をまとめて再生するような取り組みが模索されています。2017年開業のキャッセン大船渡周辺もそうした大規模な再開発エリアの一つです。

キャッセン大船渡に入居するのは書店やお菓子《かし》屋さん、花屋さんや雑貨屋さん、カフェや居酒屋、寿司《すし》や定食を出す飲食店、夜もにぎわうスナック、ライブハウスなど。BRT大船渡駅周辺の広大な敷地《しきち》に数十の店舗やフリースペースなどが集積しています。

キャッセン大船渡の周辺には、18年開館の大船渡市防災観光交流センター（おおふなぽーと）、岩手を代表する銘菓《めいか》「かもめの玉子」の製造元・さいとう製菓が運営する「かもめテラス」やビジネスホテルなども。西隣の「おおふなと夢商店街・おおふなと夢横丁」

は、キャッセン大船渡とは別組織で、商店街の経営者たちが主体となり共同店舗を運営する方式をとっています。商店主たちが力を合わせて街のにぎわいを取り戻そうとしており、岩手・宮城両県内の中心市街再生に向けたもう一つの典型例となっています。

なお、防災観光交流センター内には、震災アーカイブ施設もあります。センター2階を拠点《きょてん》に、地元の語り部などで組織する「大船渡津波伝承会」(旧・大船渡津波伝承館)が活動を続けています(展示は不定期)。センター屋上の展望デッキまで外階段が整っており、地震や津波がおそう可能性がある緊急時《きんきゅうじ》には、施設の利用者に限らず素早く避難できる設計になっています。

津波の被害を受けた岩手・宮城両県の沿岸部は、仙台市や名取市、岩沼《いわぬま》市、多賀城市、利府町といった仙台市の広域都市圏《としけん》を除けば、大半の自治体で急激な人口減少が続いています。宮城県女川町は2010年と22年の人口を比べると4割以上の減少。次いで南三陸町(宮城)、大槌町、山元町(宮城)が3割前後の減少です。さらに陸前高田市、釜石市、山田町、気仙沼市(宮城)など、2割を超える減少幅《げんしょうはば》の自治体が目立ちますが、大船渡市と宮古市、久慈市などは1割台にとどまっています。

大船渡市の人口減少が小幅で踏《ふ》みとどまっている理由の一つは、津波の被害がほかの市町村に比べて限定的だったことに加えて、中心市街の再生にいち早く取り組んでいることが影響しているのかもしれません。

なお、キャッセン大船渡の周辺ではゲーム感覚で地震発生から避難を疑似体験し、防災を学べるコンテンツが提供されています。まちなかにあるQRコードを探し、スマートフォンで読み取ると震災の体験談やクイズが流れます。クイズは「避難場所を目の前に動けずに困っているおばあさんがいるがどうするか」といった葛藤《かっとう》が伴う決断を迫ります。

*

ちょっとプラス

キャッセン大船渡から徒歩数分の夢海《ゆめみ》公園内にある**茶茶丸パーク時計塔《とけいとう》**は、津波により時計の針が3時25分頃《ごろ》で止まっています。3・11は午後2時46分ごろの発生なので、約40分後には街を津波がおそっていたことが見て取れます。

キャッセン大船渡から南へ約1キロの**大船渡市魚市場**の3階展示室は、津波前後の市内各地の様子、水産業の被災から復興までの軌跡《きせき》などを写真や映像で紹介しています。

市南部の観光名所・碁石《ごいし》海岸の近くにある**大船渡市立博物館**は、震災の記録映像「荒《あ》れ狂《くる》う海〜津波常習地・大船渡〜」を上映しています。市内各地の被害の様子のほか、明治、昭和、平成と何度も市内をおそった津波の特徴《とくちょう》などを比較《ひかく》、解説しています。

＊

大船渡市は、震災後の公共交通機関のあり方を考えるうえで、対照的な取り組みを見比べることができる場所でもあります。市内の盛駅以北は三陸鉄道リアス線が運行。盛駅以南はローカル線をバス高速輸送システムに置き替《か》えたBRT（バス・ラピッド・トランジット）が地域の足を担《にな》っています。JRの線路をバス専用道として利用する形です。

過疎地《かそち》の公共交通機関の利用者は、主に高校生や高齢者です。ローカル線の利点は、時間通りに運行する定時性と大量輸送。100人単位の乗客を運びますが、維持《いじ》のための費用がかかります。これに対し、BRTは道路事情などによる遅延《ちえん》が考えられ、数十人規模の乗客しか運べないものの、鉄道に比べれば低コストです。

大船渡から北へ向かうと鉄道がある地域。南へ向かうと鉄道をBRTに置き換《か》えた地域。どう違うか、あるいは違いはないのか、注意深く観察してみてください。大船渡や陸前高田、気仙沼（宮城県）の市街地などでBRTのバス専用道や一般道《いっぱんどう》と交差する踏切《ふみきり》を目にする機会もあるでしょう。BRTの便数は限られており、車両を見かけることができたら運がいい。機会があれば利用してみましょう。

高田松原津波復興祈念公園、奇跡の一本松ほか

◆【住所】岩手県陸前高田市気仙町字土手影180◆【電話】0192-22-8911◆【開園時間】公園は24時間開放／国営追悼・祈念施設、道の駅高田松原：4 〜 9月は午前9時〜午後6時、10 〜 3月は午前9時〜午後5時／東日本大震災津波伝承館：通年午前9時〜午後5時◆【休館日】なし（伝承館は年末年始）◆【入園料】無料

ぼくが新聞記者になる前後のこと。2011年と15年の2度、岩手県内の被災地を旅したことがあります。日本政治思想史が専門で、天皇制や鉄道の問題に詳しい政治学者・原武史《はらたけし》さん（放送大客員教授、当時は明治学院大教授）のゼミ旅行に同行しました。北は久慈から南は石巻まで、主に岩手県の沿岸部を2回ともほぼ同じルートで2泊《はく》3日の旅。主に貸し切りバスでめぐりましたが、当時利用可能だった三陸鉄道の数少ない区間については「乗って応援《おうえん》」もしました。

話題の一つは三陸鉄道の復旧でした。1984年に国鉄の赤字路線を継承・延伸《えんしん》して開業し、震災当時は久慈〜宮古間の北リ

アス線と釜石～盛（大船渡市）間の南リアス線を半官半民の第三セクター方式で運行していました。

海沿いを走る三陸鉄道の津波被害は深刻でした。駅舎やレールが各所で浸水し、橋が崩《くず》れました。ところが、関係者は鉄道の早期復旧を目指しました。鉄道の復旧は地域の復興に直結し、災害に打ちひしがれた住民を元気づけると考えたからです。3月中に北リアス線の久慈～陸中野田、宮古～小本《おもと》（現・岩泉小本）間の運転を再開。被災地の復旧・復興の先頭に立ち、注目されました。

三陸鉄道の復旧とともに記憶に残るのは、ゼミ旅行で2度訪れた陸前高田市街の甚大《じんだい》な被害です。11年は見渡《みわた》す限り、まだがれきの山。これだけの広大な土地を津波が呑《の》み込《こ》んだのか、この大量のがれきをどうすればいいのか、と途方に暮れる思いがしました。

ところが4年後の15年に再訪すると、あれほどあった大量のがれきがほとんど撤去され、あちこちに積み上げられていました。次の津波対策のために、今度は大量の土砂を運び込んで土地をかさ上げするといい、巨大《きょだい》なベルトコンベヤーが空中を縦横に横切っているのです。あれだけのがれきをどうやって撤去したのか、そしてこれだけの土地をこれからかさ上げするのか。何度も呆然《ぼうぜん》としたのを覚えています。

＊

陸前高田市は、岩手県内でも深刻な津波被害の現場です。死者・行方不明者は計1900人超。市の人口2万4千人余（当時）に対し、約8％を占めました。人口に対する犠牲者の割合は、津波におそわれた岩手・宮城・福島の沿岸部、計37市町村のうち、県内の大槌町や宮城県女川町とともに最も高い水準にあります。

約130ヘクタールもの広さをもつ高田松原津波復興祈念公園は21年の全面開園で、犠牲者の慰霊《いれい》・追悼と復興の両面が交差する場所です。広田湾に面して国営追悼・祈念施設が設けられており、献花《けんか》の場、海を望む場、大屋根や水盤《すいばん》などのデザインにより、訪れた人が静かに多数の犠牲者をいたむ環境《かんきょう》が整えられています。

公園内には、19年開館の東日本大震災津波伝承館（いわてTSUNAMIメモリアル）、同年に営業再開した道の駅高田松原、いくつかの震災遺構なども点在しています。

砂浜に沿って約7万本もの松林がならぶ名勝・高田松原は、かつて年間約100万人もの観光客が訪れた観光地でしたが、松林は津波でほとんどがなぎ倒されました。公園内に残る「奇跡の一本松」が往時をしのばせます。この木は惜《お》しくも震災後に枯《か》れましたが、長期保存する処理をほどこしたうえで、当時の姿そのままのモニュメントとして保存されています。近くには、陸前高田ユースホステルの遺構が半壊・水没《すいぼつ》した状態で残ります。この建物が津波の威力をやわらげ、奇跡の一本松が残ったとみられます。

東日本大震災津波伝承館の展示を見ると、岩手県内の津波被害の概要《がいよう》が分かります。震災津波の事実と教訓を伝承し、復興の姿を発信する県立の施設です。

津波堆積物《たいせきぶつ》を含む地層のはぎ取り標本からは、この地で生きる人々が自然の恵《めぐ》みを受け取り、地震や津波と向き合いながら生き抜《ぬ》いてきた歴史が分かります。大きく破壊された消防車などの被災物や被災者の証言映像からは、その瞬間《しゅんかん》、この大災害に人がどのように向き合い、乗り越えようとしたのかが伝わります。国土交通省などが取り組んだ「くしの歯」作戦（後述の「ちょっとプラス」参照）を関係者が振《ふ》り返る映像も印象的です。

奇跡の一本松

このほか、公園内には旧道の駅・タピック45や下宿定住促進《そくしん》住宅、気仙中学校といった震災遺構もあり、それぞれ津波の恐ろしさを伝えています。

*

陸前高田の中心市街は、高田松原津波復興祈念公園から1〜2キロ内陸部にあり、土地のかさ上げや区画整理の工事を済ませて、にぎわいを取り戻《もど》しつつあります。

ちょっとプラス

陸前高田市立博物館は22年開館。津波で全壊した旧博物館が所蔵していた資料約56万点のうち約46万点を救出し、今も修理や安定化処理の地道な作業を続けています。被災した資料の再生・保存をどう進めているかも展示のテーマの一つです。

最初に展示されているのは、「博物館資料を持ち去らないでください。高田の自然、歴史、文化を復元する大事な宝です。市教委」と誰かが記した書き置きです。被災した旧博物館に残されていたそうです。展示ケースや保管庫が破壊され、貴重な貝類などの標本がむきだしになって散乱していたら、拾い集めて持ち帰る人がいてもおかしくない。でも、それは博物館と街の復興に必要な「宝」なのだと、このメモは伝えています。土地をかさ上げしてできた新しい市街地、カキの養殖《ようしょく》が盛んな広田湾などを一望できる屋上の展望デツキも訪れてみてください。

＊

沿岸部の復旧・復興に向けた「くしの歯」作戦の重要拠点だった内陸部の遠野《とおの》市。同市内にある**3・11東日本大震災遠野市後方支援《しえん》資料館**は15年開館、21年に展示を拡充。支援する側からの視点で、震災の体験を記録しています。

「くしの歯」作戦とは震災直後、岩手の内陸部を南北に走る大動脈の東北自動車道と国道4号から、くしの歯のように沿岸部へと伸びる国道を1本ずつ切り開いて通行可能にした緊急《きんきゅう》プロジェクトです。

震災直後、沿岸部を走る道路は寸断され、救命・救援のルート確保に支障が生じていました。津波の被害を受けなかった内陸部と沿岸部を東西に結ぶ主要道路が通れなければ、救命のための消防士や復旧のための作業員が被災地に入れず、全国から集められた支援物資も現地に届きません。そこで、国土交通省東北地方整備局が被災地の国道事務所や出張所と連携し、震災翌日の2011年3月12日時点で11ルートを確保。15日には15ルートが通行可能になりました。18日には国道45号や国道6号の約97％を切り開くなど、早期復旧に努めました。

2024年1月1日の能登半島地震では、半島部の主要道路（のと里山海道や国道249号など）が寸断され、復旧・復興に大きな遅れが生じています。1本の道路が通れなくなると、その代替《だいたい》ルートを見つけて回り道をするのが難しいのが、半島の特徴です。

岩手・宮城両県の沿岸部は、海岸線が複雑に入り組んだリアス海岸で知られますが、この地形は、小さな半島が連なった状態とも言えます。3・11の被災地においても、宮城県石巻市・女川町の牡鹿《おしか》半島、気仙沼市の唐桑《からくわ》半島などの海沿いの半島部に点在する集落の多くは、道路の寸断や港湾施設の損傷により孤立しました。なかには、北側の湾の奥まで到達した津波と、南側の湾の奥まで到達した波が半島の付け根で合流し、半島全体が孤立する地区もありました。外界との連絡がつかないため、深刻な被害を受けていることがなかなか伝わらない。救援物資も届かない。三陸の漁村の多くが能登半島地震と同じような問題に直面しました。教訓は能登で生かされたでしょうか。今後起きると言われている南海トラフ巨大地震で生かされるでしょうか。

福島・宮城・岩手の沿岸部にようこそ!（道路編）

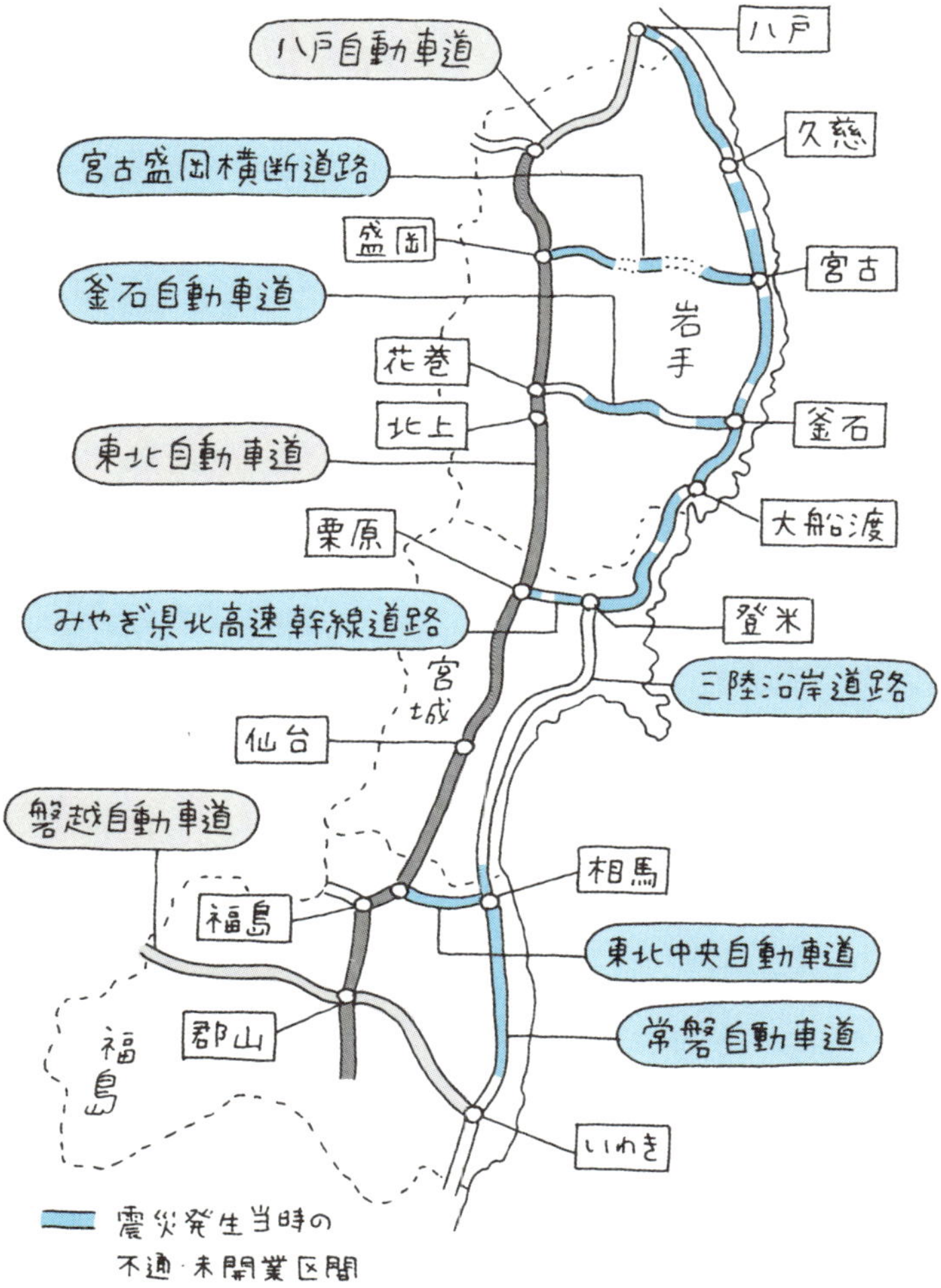

ひと

地域に必要な鉄道　早期復旧にかけた思い

望《もち》月《づき》正《まさ》彦《ひこ》さん

（元・三陸鉄道社長）

1952年、山梨県生まれ。山形大学卒業後、岩手県庁へ。久慈市助役や知事秘書、盛岡振興局長など経て、2010年6月に三陸鉄道社長に就任。9カ月後に東日本大震災にあい、復旧に力を尽くした。16年に社長退任。盛岡市在住。

震災に直面した人々は当時、どのように復旧に取り組んだのか。岩手編では、沿岸部を南北に走る三陸鉄道社長（当時）の奮闘《ふんとう》を振《ふ》り返ります。運行再開を目指し、社長として陣頭《じんとう》指揮をとった望月正彦さんは、鉄道は地域社会に欠かせない存在だと力説します。

＊

――あの日はどんな動きでしたか。

震災対応についてのノートに詳《くわ》しい記録が残っています。3月11日午後2時46分に地震発生。午後3時4分には災害対策本部を設置しました。大津波警報、停電に加えて電話などの連絡《れんらく》手段がない状態で宮古駅に停車していた車両（ディーゼルカーで照明や暖房が使えました）に移り、16日夕方に電気が復旧するまで過ごしました。運行中の車両の乗客・乗員の無事を確認。社員全員の安否も確認しました。

――鉄道を運行するための設備の被災状況はどうでしたか。

12日午後に宮古市内のトンネルまでわたし自身も調査に入り、揺《ゆ》れが強かった割には損傷が少ない線路の状況を見て、トンネルや高架《こうか》の区間も多い北リアス線（宮古～久慈）は、津波の影響《えいきょう》さえなければ早期復旧が可能だと確信しました。

ただ、13日朝、宮古～普代の区間の被害状況をまとめると、津波の被害が大きい区間も。島越《しまのこし》駅周辺は、駅舎を含む高架橋《こうかきょう》が流されるなどの被害を受けていました。

そこで復旧できる区間の部分復旧を優先する決断を下しました。優先順位は①久慈～陸中野田、②宮古～田老、③田老～小本（現・岩泉小本）。15日には大株主の岩手県や東北運輸局と運行再開の協議を始めました。手続きを簡素化し、その日のうちに久慈～陸中野田間で試運転を実施。南リアス線の車両基地で運よく助かったタンクから燃料の軽油を北リアス線の宮古～田老向けに運び、1日3往復で「復旧支援《しえん》列車」の無料運転にこぎつけたのは翌16日でした。

次いで、19日までに宮古駅から田老駅まで復旧工事が進み、20日午前に試運転。正午から運行を再開しました。さらに21日には田老～小本間の工事に着手。津波が線路を超《こ》えた部分を修復し、28日に試運転、翌29日に運行再開しました。

――なぜ早期復旧ができたのでしょうか。

災害優先電話が役に立ちました。設備の復旧に必要な協力会社の要員も確保できた。県や沿線自治体、自衛隊などの協力も得られました。13日夜の時点で、全体の被害状況の確認よりも早期復旧を優先させた判断も功を奏しました。被害が大きい島越駅付近や南リアス線（釜石～盛）は早期復旧が難しいと見極めたわけです。被害が大きかったからこそ住民に鉄道の利便性を早く提供したかった。社員も一丸となりました。

4月に入り、3年以内の全線復旧を目標に掲《かか》げました。国や県、沿線自治体などに復旧費用の支援を求めました。三陸鉄道は津波を想定したルートで建設されており、被害軽減に役立った場所もあったことなどから大筋で理解が得られました。

5月には旅行業の資格を生かし、研修旅行や防災関係者の調査などを受け入れ始めました。6月には復興イベントや復興祈念商品の発売で早期復旧をアピールしました。

――開業30周年の14年4月、全線で運行を再開しました。

何よりも大事なのは、鉄道の存在を必要としている住民感情でした。無人駅も地元の人が大事に維持《いじ》管理してくださっている。島越のおばあちゃんが「嫁入《よめい》りは船だった」と話していました。三陸の海沿いは交通の便が悪く、学校の先生の赴任《ふにん》時に上り下りの坂道が多いので、「思案坂」「辞職坂」と呼ばれる場所が残っているほど。1982年に盛岡まで東北新幹線が通りますが、島越に鉄道がとおったのはその2年後。鉄道開通の喜びを知る世代の住民が多かったのです。次いで、フライングにならないぎりぎりの範囲《はんい》で合意形成を進めたこと。例えば、レール製造メーカーに正式な予算化を見越《みこ》した「仮発注」に応じてもらうなど、可能な限り前倒《まえだお》しで取り組みました。

――震災から10年余り。人口減少の流れは続いています。

JR山田線の宮古〜釜石間（約55キロ）が2019年に移管され、久慈から盛まで南北163キロの一貫《いっかん》した運用が可能になり、経営効率化と収支改善を進めています。一方で、沿線の人口減少の流れは変わらず、道路などの利便性も向上しています。

JR岩泉線が震災後に廃止《はいし》されると、町長さんは「地図から岩泉が消える」と心配し、小本駅を岩泉小本駅と改称《かいしょう》しました。鉄道は高校生の通学や高齢者の通院など暮らしを支えるインフラであり、地域の一体感を生む必要不可欠な存在です。三陸鉄道が今後も、三陸の人々とともに走り続けてほしいと願っています。

あとがき　「旅」の終わりに

最後までこの本を読んでくれたあなた。難しい話に付き合ってくれて、ありがとうございます。あなたにとって読む価値がある本であってほしいと願っています。東日本大震災《だいしんさい》の被災地《ひさいち》を歩いてみませんか——。そうしたこの本のメッセージを受け止めて、実際に「旅」を計画中のあなた。気をつけて、いってらっしゃい。そして、実際に「旅」してくれたあなた。おかえりなさい。お疲《つか》れさま。きっと、たいへんだったでしょう。でも素晴らしい。最大限の賛辞を贈《おく》ります。

この本を読んで何を考えたか。被災地を歩いてどんな風景を見たか。どんな疑問を持ったか。機会があったらぜひ教えてください。できれば次は一緒《いっしょ》に「旅」しましょう。この本で紹介《しょうかい》しきれなかった新たな学びにつながる場所がたくさんあります。

＊

ぼく自身の「旅」は震災当時、ぼくが新聞記者になる前から始まっていました。

２０１１年秋に当時99歳《さい》の祖母が首都圏《しゅとけん》の避難先《ひなんさき》で死去。４歳、４歳、２歳の子を連れて、原発事故後初めて福島県いわき市内の実家に帰省しました。同じころ、岩手・宮城の両県にまたがる三陸の被災地を初めてバス旅行でめぐりました。

震災をめぐる「旅」は答えのない問いがセットでした。実家にいつ足を運ぶか。実家でつくったコシヒカリをどのくらい食べるか。新聞社でどんな仕事をするか。いわき市内外の被災地にいつ入るか――。さまざまな問いと選択《せんたく》を重ねました。

ただ、震災当時のぼくはネット媒体《ばいたい》の編集者。14年までは雑誌編集者で、日本史をテーマにしたシリーズづくりが仕事でした。14年にようやく編集者から記者に転じ、18年まで静岡県内で記者修行。たまに実家に帰省しても常磐《じょうばん》自動車道や国道6号（ロックコク）を走るくらいで、しばらくは被災地入りの機会が限られました。

でも、震災のことを忘れていたわけではありません。故郷の出来事ですから逃《に》げられない。ぼくは当時、世間の関心が薄《うす》れる「5年後、10年後からが勝負」だと考えていました。

東北の被災地に向き合い始めたのは、18年に東京で働くようになってから。特に上の子ふたりが中学生となり、震災10年を控《ひか》えた2020年代初めのことです。

20年に始まったコロナ禍《か》の中で恐《おそ》る恐る取材を進め、21年春に朝日新聞デジタルで自分の家族のこの10年を振《ふ》り返る連載《れんさい》（全10回）を配信しました。連載の主人公だった父は翌22年夏に亡《な》くなります。いま思えばぎりぎりのタイミングでした。

身の回りで起きた話をまとめた後のぼくは、同じいわき市内の津波《つなみ》被災地へと関心が向かいました。次いで、同じ県内の双葉郡《ふたばぐん》・相馬郡へ。さらに宮城・岩手両県の被災地へ。そうした個人的な関心の広がりと並行するかのように、東北の被災地では震災アーカイブ施設《しせつ》や震災遺構が次々と整備されていました。

例えば、この本で触《ふ》れた東日本大震災・原子力災害伝承館（福島県双葉町）を初めて訪れたのは21年2月。前年秋に開館したばかりでした。いま、なぜ被災地を歩くガイドブックが必要なのかと問われれば、いまようやく現地が「旅」しやすい環境《かんきょう》になったから、というのが簡単な答えです。

被災地は震災後しばらくのあいだ、ドライブや観光で足を踏《ふ》み入れるのがはばかられる場所でした。深刻な被害。長期避難と復旧工事が続き、復興にはほど遠い状況《じょうきょう》。やむを得ないことだったと思います。

一方で、社会問題を幅広《はばひろ》い視野で考える新聞記者の仕事をするようになると、震災をめぐる問題はさまざまな他の問題と地続きだと感じることが増えました。環境問題や人口の問題、自治やデモクラシーの問題――。いわき市内、双葉郡・相馬郡、宮城、岩手へと少しずつ車を走らせるうちに、実地を見聞する意義は大きいと感じるようになりました。

最初は孤独《こどく》で無計画なドライブ。復旧途上《とじょう》の被災地ですから案内板もチラシもない。トイレや食事の場所も分からず、公的施設も売店もほとんどない。ひんぱんに道路状況や風景が変わるためよく道に迷い、往復するたびにへこたれました。でも、ぼくはいまこそ被災地に足を運び、この風景を目に焼きつけなければならない――。そんな思いにとりつかれ、早朝から深夜まで車を走らせました。そうして土地勘《とちかん》が身についたら家族連れで訪れました。

さらに、いちど訪れた場所を仲間の記者・編集者、あるいは学術研究者のみなさんと共有したい。難しい社会問題について意見を聞きたい。そうした関心から自主的な「ツアー」も何度か決行してきました。

＊

なぜ、ぼくが「旅」に出たのか。なぜ、いまも「旅」を続けているのか。なぜ「旅」のガイドブックを出そうとしているのか。なんとなく理由がお分かりいただけたでしょうか。

この本は、２０２４年11月ごろの最新の情報を盛り込《こ》もうと努めましたが、被災地は今も変化のさなかにあります。紹介した施設などを訪れる際は、事前に施設の最新情報や交通事情をよく確認してください。

また、福島・宮城・岩手の3県に限っても、紹介しきれなかった施設や遺構が多数あります。青森や茨城などにも震災アーカイブ施設にあたる施設があります。東北大学が運営するサイト「みちのく震録伝」内の「東日本大震災デジタルアーカイブリンク集」などをたどれば、ネット上で公開されている写真や動画などの資料に触れることができます。

震災の記憶《きおく》と継承《けいしょう》は、いつかは取り組みたいテーマの一つでした。筑摩《ちくま》書房《しょぼう》の編集者・金子《かねこ》千里《ちさと》さんにこの本のアイデアをうかがい、つい執筆《しっぴつ》を引き受けて以来、自分にこの本が書けるのか、書いていいのかと何度も悩《なや》みました。

この本の取材執筆は、金子さんに背中を押《お》していただいたことに加えて、各施設の関係者を含《ふく》む東北の被災地のみなさんの助けがなければ1ページも進みませんでした。妻と子どもたちも、ぼくの「暴走」気味の「旅」によく付き合ってくれました。

調べが足りず考えも足りないなかで、伝えるべきことをしっかり伝えることができているかどうか。いまなお沈黙《ちんもく》を守る人もいること、まだ伝えられていない記憶や感情が多数あることまで表現できているかどうか。評価は読者のみなさんにゆだねます。

＊

この本を手に取った中学生や高校生のみなさんの「旅」は今後も続きます。諦《あきら》めずに粘《ねば》り強く、学ぶ意欲と共感の姿勢をもち「旅」を続けてください。きっとぼくよりも長く、遠くまで行けるはずです。そして、長く遠い「旅」の途中《とちゅう》で、できれば自分よりも下の世代にバトンを渡《わた》してください。

ぼくも東北の被災地だけでなく、新潟や兵庫、熊本などの震災アーカイブ施設や震災遺構を訪れて学び続けるつもりです。この本が少しでもそうした豊かな「旅」の役に立てばと願っています。

次に読んでほしい本

小《こ》松《まつ》理《り》虔《けん》
『新復興論 増補版』
ゲンロン、2021年

2018年秋に初版が出ると、いち早く朝日新聞社主催《しゅさい》の大佛次郎《おさらぎじろう》論壇賞《ろんだんしょう》を受賞した被《ひ》災地《さいち》発の問題提起。小松さんは福島県いわき市小名浜《おなはま》の地域活動家で、復興がかえって地域の衰退《すいたい》を招く矛盾《むじゅん》を指摘《してき》します。豊かな海産物などの食、芸術、観光により人と人をつなぐ。足元の地域によって立ち、震災《しんさい》や原発事故と格闘《かくとう》し続けた記録です。

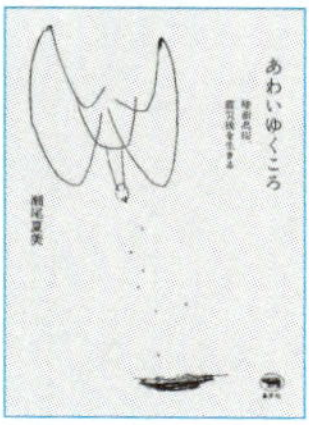

瀬《せ》尾《お》夏美《なつみ》

『あわいゆくころ
——陸《りく》前《ぜん》高田《たかた》、震災後を生きる』

晶文社、2019年

仙台《せんだい》市や岩手県陸前高田市を拠点《きょてん》に、震災を体験した人々の言葉や風景の記録を考えながら絵や文章をつむぐアーティストの記録。東日本大震災のボランティア活動を機に、映像作家の小森はるかさんと共同制作を進める。瀬尾さんの表現や対話では「語れなさ」がテーマになります。〈歩行録〉と題したネット上のつぶやき（旧Twitter）も収録。

新《しん》海《かい》誠《まこと》監督

「すずめの戸《と》締《じ》まり」

2022年公開、2023年DVD発売

大きな災害を生き延びた人は、災害後をどう生きればいいのか。新海誠監督は「君の名は。」（2016年）や「天気の子」（19年）に続いて、この作品でも災害の体験や記憶《きおく》の継承《けいしょう》をテーマにしています。作中の描写《びょうしゃ》は、東日本大震災や阪神《はんしん》・淡路《あわじ》大震災、南海トラフ巨大《きょだい》地震や首都直下地震などを想起させます。本ではなく映画ですがおすすめです。

大内悟史

おおうち・さとし

1973年、福島県いわき市生まれ。市内の農村部で育ち、18歳で上京。99年、朝日新聞社に入社。出版局週刊百科編集部、月刊誌「論座」編集部などを経て、東京本社文化部で論壇や書評を担当している。朝日新聞出版時代は、週刊朝日百科「新発見！日本の歴史」（全50巻）のチーフエディターを務めるなど、人文系の雑誌や書籍の編集に従事。東日本大震災後の14年、記者に転身した。故郷の福島県をはじめ、被災地の震災アーカイブ施設や震災遺構を訪れる活動を個人的に展開。中学・高校に通う3人の子どもや報道・学術関係者とともに現地をたびたび訪れ、すぐに答えの出ない問いを考え続けている。

ちくまQブックス

震災《しんさい》アーカイブを訪《たず》ねる

3・11《さんてんいちいち》 現在進行形《げんざいしんこうけい》の歴史《れきし》って？

2025年1月6日　初版第一刷発行

著　者　　大内悟史
装　幀　　鈴木千佳子
発行者　　増田健史
発行所　　株式会社筑摩書房
　　　　　東京都台東区蔵前2-5-3　〒111-8755
　　　　　電話番号03-5687-2601（代表）
印刷・製本　中央精版印刷株式会社

ISBN978-4-480-25160-2　C0326